MAX LUCADO

DEUS ESTÁ NO CONTROLE

ESPERANÇA E ENCORAJAMENTO PARA O SEU DIA A DIA

Traduzido por EMIRSON JUSTINO

mundocristão
São Paulo

Os textos das referências bíblicas foram extraídos da *Nova Versão Internacional* (NVI), da Biblica, Inc., salvo indicação específica.

Dados Internacionais de Catalogação na Publicação (CIP)
(Câmara Brasileira do Livro, SP, Brasil)

Lucado, Max
Deus está no controle: esperança e encorajamento para o seu dia a dia / Max Lucado; traduzido por Emirson Justino. — São Paulo: Mundo Cristão, 2012.

Título original: The Lucado Inspirational Reader (até a página 237)

1. Conversão 2. Imagem de Deus 3. Inspiração — Aspectos religiosos — Cristianismo 4. Salvação 5. Vida cristã I. Título.

12-07153 CDD-248.25

Índice para catálogo sistemático:
1. Transformação cristã: Renovação e compromisso moral: Cristianismo 248.25
Categoria: Inspiração

Publicado no Brasil com todos os direitos reservados por:
Editora Mundo Cristão
Rua Antônio Carlos Tacconi, 79, São Paulo, SP, Brasil, CEP 04810-020
Telefone: (11) 2127-4147
www.mundocristao.com.br

1ª edição: novembro de 2012
1ª reimpressão: 2013

A Marcelle Le Gallo, em comemoração pelos trinta anos
de alegre serviço na Oak Hills Church

SUMÁRIO

Agradecimentos

Minha sincera gratidão às centenas de pessoas que contribuíram com seu tempo e seu talento para a criação de meus livros durante mais de 25 anos. Editores, *designers*, gráficos, equipes de vendas, funcionários de livrarias, ilustradores, agentes publicitários — sou imensamente grato.

Alguns membros-chave da equipe foram responsáveis por analisar cada página de cada livro: Karen Hill, Liz Heaney, Carol Bartley, Steve e Cheryl Green, Susan Ligon e David Moberg. Não há palavras suficientes para falar sobre a importância de suas contribuições. Obrigado.

Meu profundo amor pela querida família deste lado do céu.

A Bíblia

Uma mina a ser explorada

Numa viagem ao Reino Unido, nossa família visitou um castelo. No centro do jardim havia um labirinto. Fileiras e mais fileiras de arbustos, cuja altura chegava nos ombros, levavam a um beco sem saída atrás do outro. Uma passagem bem-sucedida pelo labirinto dava na porta para uma grande torre no centro do jardim. Se você olhar as fotos da viagem que nossa família tirou, verá quatro dos cinco membros em pé no topo da torre. Hum... alguém ficou no chão. Adivinhe quem foi? Fiquei preso entre as folhagens. Simplesmente não consegui encontrar a saída.

Ah, mas então ouvi uma voz do alto. "Ei, papai!". Olhei para cima e vi Sara, espiando por uma torreta nas alturas. "Você está indo na direção errada", explicou ela. "Volte e vire para a direita."

Você acha que eu confiei nela? Não precisava. Eu podia ter confiado em meus próprios instintos, consultado outros turistas confusos, ter sentado, batido o pé e questionado por que Deus havia deixado aquilo acontecer comigo. Mas sabe o que eu fiz? Eu ouvi. A posição privilegiada dela era melhor que a minha. Ela estava acima do labirinto. Podia ver o que eu não conseguia enxergar.

Você não acha que deveríamos fazer o mesmo com Deus? "Deus vive lá nas alturas dos céus" (Jó 22.12, NBV). "O SENHOR está exaltado acima de todas as nações" (Sl 113.4). Ele não é capaz de ver o que nos ilude? Ele não quer nos resgatar e nos conduzir para casa? Então devemos fazer o que Jesus fez.

Confie nas Escrituras. Duvide de suas dúvidas antes de duvidar de suas crenças. Jesus disse a Satanás: "Nem só de pão viverá o homem, mas de toda palavra que procede da boca de Deus" (Mt 4.4). O verbo *proceder* significa literalmente "que se derrama". O tempo verbal sugere que Deus está se comunicando de maneira dinâmica e constante com o mundo por meio de sua Palavra. Deus ainda fala!

O SALVADOR MORA AO LADO

Se desejamos ser iguais a Jesus, devemos ter momentos regulares nos quais conversamos com Deus e prestamos atenção a sua Palavra.

SIMPLESMENTE COMO JESUS

Confie na Palavra de Deus. Não confie em suas emoções. Não confie em suas opiniões. Não confie nem sequer em seus amigos. Quando estiver no deserto, dê ouvidos apenas à voz de Deus.

Mais uma vez, Jesus é o nosso modelo. Lembra-se de como Satanás o provocou? "Se és o Filho de Deus..." (Lc 4.3,9). Por que razão Satanás diria isso? Porque ele sabia o que Cristo ouvira em seu batismo: "Este é o meu Filho amado, em quem me agrado" (Mt 3.17).

O que Satanás pergunta é: "Você é realmente o filho de Deus?". Então, vem o desafio: "Prove!". Prove fazendo uma destas coisas:

"Manda esta pedra transformar-se em pão" (Lc 4.3).

"Se me adorares, tudo será teu" (Lc 4.7).

"Joga-te daqui para baixo" (Lc 4.9).

Que sedução sutil! Satanás não censura a Deus; simplesmente levanta dúvidas sobre ele. Sua obra é satisfatória? Obras terrenas — como transformar pedras em pães ou pular do templo — recebem o mesmo valor de obras celestiais. Ainda que gradualmente, ele tenta fazer com que deixemos de confiar nas promessas de Deus e passemos a confiar em nosso desempenho.

Jesus não morde a isca. Não solicita nenhum sinal celeste. Ele não pede um relâmpago; simplesmente cita a Bíblia. Três tentações. Três declarações.

"Está escrito..." (Lc 4.4).

"Está escrito..." (Lc 4.8).

"Dito está..." (Lc 4.12).

A arma de sobrevivência recomendada por Jesus é a Palavra de Deus.

A arma de sobrevivência recomendada por Jesus é a Palavra de Deus. Se a Bíblia foi suficiente para o deserto dele, não deveria ser suficiente para o nosso? Entenda bem. Tudo de que eu e você necessitamos para sobreviver no deserto está no Livro. Precisamos simplesmente dar ouvidos a ele.

O SALVADOR MORA AO LADO

Por meio da palavra dos profetas, Deus usou as Escrituras para revelar sua vontade. Ele não faz a mesma coisa hoje? Abra a Palavra de Deus e você encontrará a vontade dele.

A GRANDE CASA DE DEUS

Deus nos fala por intermédio de sua Palavra. O primeiro passo ao ler a Bíblia é pedir a Deus ajuda para entendê-la. "Mas o Conselheiro, o Espírito Santo, que o Pai enviará em meu nome, lhes ensinará todas as coisas e lhes fará lembrar tudo o que eu lhes disse" (Jo 14.26).

Antes de ler a Bíblia, ore. Não abra as Escrituras para procurar suas próprias ideias; procure as ideias de Deus. Leia a Bíblia em espírito de oração e também atentamente. Jesus nos disse: "Busquem, e encontrarão" (Mt 7.7). Deus elogia aquele que "rumina as Escrituras dia e noite" (Sl 1.2, AM). A Bíblia não é um jornal pelo qual se passa os olhos, mas uma mina a ser explorada. "Se procurar a sabedoria como se procura a prata e buscá-la como quem busca um tesouro escondido, então você entenderá o que é temer o SENHOR e achará o conhecimento de Deus" (Pv 2.4-5).

Não abra as Escrituras para procurar suas próprias ideias; procure as ideias de Deus.

Aqui vai uma questão prática. Estude a Bíblia um pouco por vez. Deus parece enviar mensagens da mesma maneira que mandou o maná: uma porção diária por vez. Ele fornece "ordem sobre ordem, ordem sobre ordem, regra e mais regra; um pouco aqui, um pouco ali" (Is 28.10). Escolha profundidade em vez de quantidade. Leia até que um versículo *atinja* você; então pare e medite sobre ele. Copie o versículo numa folha de papel, ou escreva no seu diário, e reflita diversas vezes sobre ele.

Na manhã que escrevi isso, por exemplo, minha hora de meditação me levou a Mateus 18. Estava apenas no quarto versículo do capítulo quando li isto: "Portanto, quem se faz humilde como esta criança, este é o maior no Reino dos céus". Eu precisava me aprofundar. Copiei as palavras em meu diário e ponderei sobre elas durante todo aquele dia. Em vários momentos perguntei a Deus: "Como posso ser mais parecido com uma criança?". Ao final do dia, fui lembrado de minha tendência a me precipitar e de minha propensão a me preocupar.

Será que vou aprender o que Deus deseja? Se eu ouvir, aprenderei.

Não desanime se sua leitura gerar uma colheita pequena. Há dias em que uma porção menor é tudo de que precisamos. Uma menininha voltou de seu primeiro dia na escola. A mãe lhe perguntou:

— Você aprendeu alguma coisa?

— Acho que não — respondeu a menina. — Preciso voltar amanhã, e no dia seguinte, e no outro...

Assim acontece com o aprendizado. E assim acontece com o estudo da Bíblia. O entendimento chega aos poucos, durante toda uma vida.

SIMPLESMENTE COMO JESUS

Você tem uma Bíblia? Então leia-a.

Existe algum outro livro que tenha sido descrito desta maneira: "Pois a palavra de Deus é viva e eficaz, e mais afiada que qualquer espada de dois gumes; ela penetra até o ponto de dividir alma e espírito, juntas e medulas, e julga os pensamentos e intenções do coração" (Hb 4.12)?

"Viva e eficaz." As palavras da Bíblia têm vida! Substantivos com pulsação. Adjetivos musculosos. Verbos que se movem para frente e para trás pela folha. Deus trabalha por meio dessas palavras. A Bíblia é para Deus o que a luva é para o cirurgião. Ele as usa para tocar fundo em você.

As palavras da Bíblia têm vida! [...] Deus trabalha por meio dessas palavras.

Você não sentiu o toque dele?

Num momento difícil e solitário, você lê estas palavras: "Nunca o deixarei, nunca o abandonarei" (Hb 13.5). As sentenças confortam como uma mão sobre o ombro.

DERRUBANDO GOLIAS

Sabe-se que pessoas justificam a estupidez com base em "sentimentos". "Senti que Deus estava me conduzindo a trair minha esposa... a desconsiderar minhas contas... a mentir para o meu chefe... a flertar com minha vizinha casada". Tome nota disto: Deus não o levará a violar sua Palavra. Ele não contradiz seu próprio ensinamento. Cuidado com a frase "Deus me levou a...". Não brinque com isso. Não disfarce seu pecado como se fosse uma orientação de Deus. Ele não vai levá-lo a mentir, trair ou ferir. Ele o guiará fielmente através das palavras das Escrituras e do conselho de seus fiéis.

DERRUBANDO GOLIAS

Os parágrafos a seguir documentam a degeneração deste autor rumo à atividade criminosa. Os fatos são reais e os nomes não foram trocados. Eu confesso. Eu violei a lei. E o pior de tudo é que não quero parar!

Meus atos delituosos começaram de maneira inocente. Meu caminho até o escritório segue pelo sul rumo a um cruzamento onde eu e todas as pessoas do Texas viram à direita. Todas as manhãs espero *longos* minutos numa *longa* fila diante de um *longo* farol vermelho, sempre resmungando: "Deve haver um caminho melhor". Eu o encontrei certo dia. Embora estivesse a quase um quilômetro do semáforo, consegui encontrar um atalho, um beco atrás de um *shopping center*. Valia a pena tentar. Liguei a seta, fiz uma rápida conversão à esquerda, dei adeus aos colegas de fila e me arrisquei. Fiz um zigue-zague entre as caçambas de lixo, algumas lombadas e *voilà*. Funcionou! O beco me levou à avenida à direita muitos minutos mais rápido do que o restante da sociedade.

Os grandes desbravadores Lewis e Clark teriam ficado orgulhosos. Eu, com certeza, estava. Daquele dia em diante, eu estava à frente do bando. Todas as manhãs, enquanto os carros esperavam em fila, eu desviava por minha *rodovia* particular e, de maneira bem convencida, aplaudia a mim mesmo por ver o que os outros não tinham visto. Estava surpreso por ninguém ter descoberto aquilo antes, mas, mais uma vez, poucos tinham a minha habilidade como piloto.

Numa certa manhã, minha esposa, Denalyn, estava comigo no carro.

— Vou fazer você relembrar porque se casou comigo — disse-lhe à medida que me aproximava do cruzamento. — Está vendo aquela longa fila de carros? Consegue ouvir os lamentos dos moradores do subúrbio? Vê a monotonia da humanidade? Isso não é para mim. Segure-se!

Como um caçador num safári, desviei das seis pistas na direção daquela única pista e compartilhei com minha amada a minha via expressa secreta rumo à liberdade.

— O que você acha? — perguntei a ela, esperando sua admiração.

— Eu acho que você desrespeitou a lei.

— O quê?

— Você entrou pela contramão numa rua de mão única.

— Não fiz isso.

— Volte lá e veja por si mesmo.

Foi o que fiz. Ela estava certa. Por alguma razão, eu não vi a placa. Meu atalho era uma via não permitida. Bem ao lado da grande caçamba laranja estava uma placa onde se lia "Não entre". Não é de admirar que as pessoas me olhassem daquele jeito quando eu entrava na viela. Eu achava que era inveja; elas me achavam um fora da lei.

Mas o meu problema não é o que fiz antes de conhecer a lei. Meu problema é o que eu quero fazer agora, depois de conhecê-la. Você poderia imaginar que eu não teria mais desejo de usar a viela, mas eu tenho! Parte de mim ainda quer pegar aquele atalho. Parte de mim quer desrespeitar a lei. (Perdoem-me todos vocês, guardas de trânsito, que estão lendo este livro.) Todas as manhãs, as vozes dentro de mim apresentam este argumento:

Meu lado "dever" diz: "É ilegal".

Meu lado "querer" responde: "Mas nunca fui pego".

Meu lado "dever" me lembra: "A lei é a lei".

Meu lado "querer" reage: "Mas a lei não é para motoristas cuidadosos como eu. Além do mais, vou dedicar os cinco minutos que ganhei à oração".

Meu lado "dever" não cai na conversa: "Ore no carro".

Antes de conhecer a lei, eu estava em paz. Agora que conheço a lei, uma insurreição aconteceu. Sou um homem dividido. Por um lado, sei o que fazer, mas não quero fazê-lo. Meus olhos leem a placa "Não entre", mas meu corpo não quer obedecer. O que eu deveria fazer e o que acabo fazendo são duas coisas diferentes. Eu estava em melhor situação quando não conhecia a lei.

Soa familiar? Poderia. Para muitos, esse é o itinerário da alma. Antes de conhecer a Cristo, todos nós tínhamos nossos próprios atalhos. A imoralidade era um atalho para o prazer. A trapaça era um atalho para o sucesso. Vangloriar-se era um atalho para a popularidade. Mentir era um atalho para o poder.

Então, encontramos Cristo, encontramos graça, e vimos as placas...

Durante todos aqueles anos você pegou atalhos, sem nunca ver a placa "Não entre". Mas agora você a vê. Agora você sabe. Eu sei, eu sei... Teria sido mais fácil se você nunca tivesse visto a placa, mas agora a lei foi revelada. Assim, o que você faz?

Sua batalha é idêntica àquela que ocorria no coração de Paulo.

> Entretanto, preciso de algo mais! Pois, se conheço a lei e mesmo assim não posso guardá-la e se o poder do pecado dentro de mim insiste em sabotar minhas melhores intenções, obviamente preciso de ajuda! Entendo que não posso cumpri-la. Posso desejar, mas não posso fazer. Decido fazer o bem, mas de fato não o faço. Decido não fazer o mal, mas acabo fazendo, de um modo ou de outro. Minhas decisões não resultam em ações. Algo está muito errado no meu interior e sempre tira o melhor de mim.
>
> Isso acontece tanto que já é previsível. No momento em que decido fazer o bem, o pecado está lá para me derrubar. É

pura verdade que eu me alegro nos mandamentos de Deus, mas é óbvio que nem tudo em mim é festa. Partes de mim se rebelam em segredo, e, quando menos espero, elas assumem o controle.

Romanos 7.17-23, AM

A guerra civil da alma.

Deixe-me apresentar-lhe uma segunda verdade a ser levada para o campo de batalha. A primeira é a sua posição: você é filho de Deus. A segunda é o seu princípio: a Palavra de Deus.

Quando estamos sob ataque, nossa tendência é questionar a validade dos mandamentos de Deus; racionalizamos, como faço com a rua de mão única. "A lei é para os outros, não para mim. Sou um bom motorista." Ao questionar a validade da lei, diminuo, em minha mente, a autoridade da lei.

Por essa razão é que Paulo é rápido em nos lembrar de que "a Lei é santa, e o mandamento é santo, justo e bom" (Rm 7.12). A raiz da palavra *santa* é *hagios*, que significa "diferente". Os mandamentos de Deus são santos porque vêm de um mundo diferente, uma esfera diferente, uma perspectiva diferente.

Num certo sentido, a placa da minha viela proibida que dizia "Não entre" era de uma esfera diferente. Os pensamentos dos legisladores de nossa cidade não são como os meus pensamentos. Eles estão preocupados com o bem público. Eu estou preocupado com minha conveniência pessoal. Eles querem o que é melhor para a cidade. Eu quero o que é melhor para mim. Eles sabem o que é seguro. Eu sei o que é rápido. Mas eles não criam leis para o meu prazer; eles criam leis para a minha segurança.

O mesmo acontece com Deus. O que consideramos atalhos, Deus vê como desastres. Ele não prepara leis para nosso prazer. Ele as entrega para nossa proteção. Em tempos de luta devemos confiar na sabedoria dele, não na nossa. Foi ele quem projetou o sistema; ele sabe do que precisamos.

NAS GARRAS DA GRAÇA

A Igreja

A FAMÍLIA DE DEUS

Por incrível que pareça, somos o corpo de Cristo. Embora não ajamos como nosso Pai, não há verdade maior do que esta: somos dele. Inalteravelmente. Ele nos ama. Eternamente. Nada pode nos separar do amor de Cristo (cf. Rm 8.38-39).

OUVINDO DEUS NA TORMENTA

☙

As Escrituras chamam a Igreja de um poema. "Somos feitura sua" (Ef 2.10, RC). "Feitura" vem da palavra grega *poeo* ou "poesia". Somos a poesia de Deus! O que um grande poeta faz com pena e papel, nosso Criador fez conosco. Expressamos o melhor de sua criatividade.

Você não é a poesia de Deus. Eu não sou a poesia de Deus. *Nós* somos a poesia de Deus. Poesia exige variedade.

"Deus age por intermédio de homens e maneiras diferentes, mas é o mesmo Deus que atinge seus propósitos mediante todos eles" (1Co 12.6, CH[1]). Deus usa todos os tipos para escrever sua mensagem. Pensadores lógicos. Adoradores emotivos. Líderes dinâmicos. Seguidores dóceis. Visionários que lideram, estudiosos que ponderam, generosos que pagam as contas. Verbos cheios de ação. Substantivos firmes como rocha. Pontos de interrogação enigmáticos. Sozinhos, somos símbolos sem sentido colocados numa página. Coletivamente, porém, somos inspiradores. "Todos vocês juntos são o corpo de Cristo, e cada um de vocês é um membro separado e necessário desse corpo" (1Co 12.27, NBV).

QUEBRANDO A ROTINA

Em 1976, tremores devastaram a região montanhosa da Guatemala. Milhares de pessoas morreram e dezenas de milhares ficaram desabrigadas. Um filantropo se ofereceu para patrocinar a ida de uma equipe de apoio de nossa faculdade. O seguinte anúncio foi colocado em nosso dormitório: "Precisa-se de estudantes dispostos a usar suas férias para construir casas de alvenaria em Quetzaltenango". Eu me inscrevi, fui aceito e comecei a frequentar as reuniões preparatórias.

Nosso grupo tinha ao todo doze pessoas. A maioria era de alunos de missões. Ao que parecia, todos nós amávamos discutir teologia. Éramos jovens o bastante em nossa fé para acreditar que tínhamos todas as respostas. Isso gerava discussões animadas. Provocávamos uma porção de controvérsias. Não consigo me lembrar da lista completa. Certamente incluía os polêmicos temas de sempre, como os dons carismáticos, o fim dos tempos, estilos de adoração, estratégias de crescimento de igrejas e assim por diante. Na época em que chegamos à Guatemala, já havíamos abordado as controvérsias e revelado quem realmente éramos. Eu era capaz de separar os fiéis dos infiéis, os sadios dos heréticos. Sabia quem estava dentro e quem estava fora.

Mas tudo isso foi logo esquecido. A destruição do terremoto apequenou nossas diferenças. Vilas inteiras foram devastadas. Crianças reviravam escombros chamando pelo nome dos pais. Longas filas de pessoas feridas esperavam atenção médica. Nossa opinião de repente pareceu insignificante. O desastre exigia trabalho em grupo. O desafio criou uma equipe.

A tarefa transformou rivais em parceiros. Lembro-me de um rapaz em particular. Ele e eu tínhamos opiniões notavelmente diferentes em relação ao estilo da música de adoração. Eu, o pensador de mente aberta e relevante, era favorável à música contemporânea e animada. Ele, o homem das cavernas chato e de mente fechada, preferia hinos e hinários. Contudo, quando a questão era colocar um tijolo em cima do outro, adivinhe quem trabalhou lado a lado? Enquanto trabalhávamos, começamos a cantar juntos. Cantamos músicas antigas e modernas, lentas e rápidas. Só depois é que percebi a ironia de tudo aquilo. Nossa preocupação comum nos deu um canto comum.

Esse era o plano de Jesus desde o começo. Nenhum de nós pode fazer o que todos nós somos capazes fazer. Lembra-se do comissionamento dele aos discípulos? "[Todos vocês, juntos] serão minhas testemunhas" (At 1.8). Jesus não lançou tarefas individuais. Ele não percorreu a fila um a um e nomeou cada indivíduo.

"Você, Pedro, será minha testemunha..."

> Nenhum de nós pode fazer o que todos nós somos capazes de fazer. [...] Jesus trabalha no coletivo.

"Você, João, será minha testemunha..."

"Você, Maria Madalena, será minha testemunha..."

Em vez disso, "vocês (a soma de todos vocês) serão minhas testemunhas...". Jesus trabalha no coletivo. Por essa razão, você não encontra pronomes pessoais nas primeiras narrativas da Igreja.

FAÇA A VIDA VALER A PENA

Pessoas dentro de um avião e pessoas sentadas num banco de igreja têm muita coisa em comum. Todas elas estão numa jornada. A maioria tem bom comportamento e boa aparência. Algumas cochilam e outras olham pela janela. A maioria, senão todas, está satisfeita com uma experiência previsível. Para muitas, a marca de um bom voo e a marca de uma boa reunião de adoração são a mesma coisa. "Bom", gostamos de dizer. "Foi um bom voo / foi um bom culto". Saímos da mesma maneira que entramos e estamos felizes por poder voltar da próxima vez.

Uns poucos, porém, não se contentam com o bom. Desejam algo mais. O menino que acabara de passar por mim desejava. Ouvi-lhe a voz antes de vê-lo. Eu já estava em meu assento quando ele perguntou: "Será que eles vão mesmo me deixar conhecer o piloto?". Ele foi ou sortudo ou perspicaz, porque fez o pedido assim que entrou no avião. A pergunta flutuou até a cabine, levando o piloto a inclinar-se para fora.

— Alguém está me procurando? — perguntou ele.

A mão do menino se esticou como se ele estivesse respondendo a uma pergunta de sua professora do segundo ano.

— Eu estou!

— Bem, então entre.

Com um aceno de sua mãe, o garoto entrou no mundo dos controles e medidores da cabine de comando e emergiu minutos depois com os olhos arregalados.

— Uau! — exclamou. — Estou tão feliz por estar neste avião!

Nenhuma outra face ali mostrava tal deslumbramento. Eu já imaginava. Prestei atenção. O interesse do menino despertou o meu próprio interesse, de modo que passei a estudar o rosto dos demais passageiros, mas não encontrei tal entusiasmo. De modo geral, vi contentamento: viajantes contentes por estar no avião, contentes por estar mais próximos de seu destino, contentes por sair do aeroporto, contentes por se sentar, olhar e falar pouco.

Havia algumas poucas exceções. As cinco ou mais mulheres de meia-idade usando chapéus de palha e levando bolsas de praia não estavam contentes; elas estavam exuberantes. Desfilavam sorrindo pelo corredor. Minha aposta é que elas eram mães que haviam se livrado da cozinha e das crianças. O colega de terno azul do outro lado do corredor não estava contente; estava mal-humorado. Abriu seu *notebook* e ficou encarando a tela a viagem inteira. A maioria de nós, porém, estava mais feliz do que ele e mais contida que as senhoras. A maioria de nós estava contente. Contente com um voo previsível e sem ocorrências fora do comum. Contentes com um voo "bom".

Uma vez que é isso o que buscamos, isso é o que conseguimos. O menino, por outro lado, queria mais. Ele queria ver o piloto. Se lhe pedissem para descrever o voo, ele não diria que foi bom. Ele provavelmente mostraria as asas de plástico que o piloto lhe dera e diria: "Eu vi o homem lá da frente".

Você entende por que digo que as pessoas num avião e as pessoas no banco da igreja têm muita coisa em comum? Entre no santuário de uma igreja e olhe para os rostos. Alguns estão agitados, uns poucos estão mal-humorados, mas, no geral, estamos contentes. Contentes por estar ali. Contentes por sentar, olhar direto para frente e sair quando o culto acabar.

Contentes por desfrutar de uma reunião sem surpresas nem turbulência. Contentes com um culto *bom*. "Busquem, e encontrarão", Jesus prometeu (Mt 7.7).

Uma vez que um bom culto é o que buscamos, um bom culto é normalmente o que encontramos.

Alguns poucos, porém, buscam mais. Alguns poucos chegam com o entusiasmo infantil daquele menino. E esses poucos saem como ele saiu, de olhos arregalados diante da maravilha de ter-se colocado na presença do próprio piloto...

Você vai à igreja com um coração faminto por adoração? Nosso Salvador ia.

Posso pedir-lhe que seja exatamente igual a Jesus? Prepare seu coração para a adoração. Deixe Deus mudar sua face por meio da adoração. Demonstre o poder da adoração. Acima de tudo, busque a face do piloto. O menino fez isso. Por ter buscado o piloto, ele saiu com a face transformada e um par de asas. O mesmo pode acontecer com você.

SIMPLESMENTE COMO JESUS

Estranhamente, algumas pessoas gostam da proteção da igreja ao mesmo tempo que se recusam a criar qualquer tipo de raiz. Deus, sim. Igreja, não. Elas gostam do benefício, mas resistem ao compromisso. A música, a mensagem, a consciência limpa — elas aceitam as vantagens da igreja. Assim, namoram com ela, visitam-na. Gostam de uma reunião ocasional. Elas usam a igreja. Mas compromisso com a igreja? Nem pensar. Precisam manter as opções em aberto. Não querem perder nenhuma oportunidade.

Sugiro que elas já estão perdendo. Distancie-se da igreja e você estará se distanciando da ferramenta aprovada para a promoção de Deus. Pois a igreja é o principal lugar para você fazer aquilo que sabe fazer melhor para a glória de Deus.

QUEBRANDO A ROTINA

Escrevo isto numa manhã de sábado em Boston. Vim para cá para falar num congresso. Depois de cumprir minha parte na noite passada, fiz algo bastante espiritual: fui a um jogo de basquete do Boston Celtics. Não pude resistir. O Boston Garden é um estádio que eu queria conhecer desde criança. Além disso, o Celtics estava jogando contra meu time favorito, o San Antonio Spurs.

Assim que me sentei, ocorreu-me que eu poderia ser o único fã dos Spurs no meio de toda aquela multidão. Seria aconselhável ficar quieto. Mas era difícil. Permaneci contido por alguns instantes, mas foi tudo o que consegui. No final do primeiro quarto, eu estava soltando gritos de guerra cada vez que os Spurs marcavam ponto.

As pessoas começavam a se virar e olhar. Arriscado isso de ser voz no deserto.

Foi então que notei que tinha um companheiro no outro lado do corredor. Ele também aplaudia os Spurs. Quando bati palmas, ele bateu palmas. Eu tinha um parceiro. Animávamos um ao outro. Senti-me melhor.

No final do quarto, fiz um sinal de positivo com o polegar. Ele retribuiu. Era apenas um adolescente. Não tinha importância. Estávamos unidos pelo elo maior da amizade.

Essa é uma das razões de existência da Igreja. Todas as semanas você torce pelo time visitante. Você aplaude o sucesso daquele a quem o mundo se opõe. Você se levanta quando todo mundo se senta, e senta quando todo mundo se levanta.

Em algum momento, você precisa de apoio. Você precisa estar com pessoas que torcem quando você torce. Você precisa daquilo que a Bíblia chama de *comunhão*. E precisa disso toda semana. Afinal de contas, você só consegue ir tão longe quanto imagina quando se junta à multidão.

QUANDO DEUS SUSSURRA O SEU NOME

Deus tem apenas um rebanho. Por alguma razão, nós nos esquecemos disso. A divisão religiosa não é ideia de Deus. Privilégios e sectarismo não estão no plano dele. Deus tem um rebanho. O rebanho tem um pastor. E embora possamos achar que existam muitos, estamos errados. Existe apenas um.

Em nenhum lugar a Bíblia diz que nós devemos criar unidade. Somos instruídos apenas a manter a unidade que existe. Paulo nos exorta a preservar "a unidade que o Espírito dá" (Ef 4.3, NBV). Nossa tarefa não é inventar a unidade, mas reconhecê-la.

Tenho duas irmãs e um irmão. Somos irmãos porque viemos da mesma família. Temos o mesmo pai e a mesma mãe. Tenho certeza de que houve momentos em que eles não queriam me chamar de seu irmão, mas eles não têm essa opção.

Nós também não. Quando vejo alguém chamando Deus de *Pai* e Jesus de *Salvador*, estou vendo um irmão ou uma irmã — seja qual for o nome de sua igreja ou de sua denominação.

Quando vejo alguém chamando Deus de *Pai* e Jesus de *Salvador*, estou vendo um irmão ou uma irmã — seja qual for o nome de sua igreja ou de sua denominação.

A propósito, sabe esses nomes de igreja que usamos? Eles não existem no céu. O Livro da Vida não traz sua denominação ao lado do seu nome. Por quê? Porque não é a denominação que salva você. Sou levado a pensar: se não há denominações no céu, por que temos denominações na terra?

O que aconteceria (eu sei que é uma ideia maluca), mas o que aconteceria se todas as igrejas concordassem, num determinado dia, em mudar o nome simplesmente para "igreja"? E se qualquer referência a qualquer denominação fosse removida e todos nós fôssemos apenas cristãos? Então, quando as pessoas escolhessem qual igreja iriam frequentar, não o fariam por causa da placa do lado de fora... Elas o fariam por causa do coração das pessoas do lado de dentro. Então, quando lhes perguntassem qual igreja elas frequentam, sua resposta não seria um rótulo, mas apenas um endereço.

Então, nós, cristãos, não seríamos conhecidos por aquilo que nos divide; em vez disso, seríamos conhecidos por aquilo que nos une — nosso Pai comum.

Ideia maluca? Talvez.

Mas creio que Deus gostaria disso. Foi assim que ele começou.

Ouvindo Deus na tormenta

Deus está edificando uma família. Uma família permanente. As famílias da terra têm um prazo de validade curto. Mesmo os que evitam o divórcio acabam separados pela morte. A família de Deus, porém, viverá além do universo. "Quando penso na sabedoria e na extensão do seu plano, eu caio de joelhos e rogo ao Pai de toda a grande família de Deus — alguns deles lá em cima no céu e outros aqui embaixo na terra" (Ef 3.14-15, NBV).

Jesus chegou até mesmo a definir sua família de acordo com a fé, não com a carne. "Havia muita gente assentada ao seu redor; e lhe disseram: 'Tua mãe e teus irmãos estão lá fora e te procuram'. 'Quem é minha mãe, e quem são meus irmãos?', perguntou ele. [...] 'Quem faz a vontade de Deus, este é meu irmão, minha irmã e minha mãe'" (Mc 3.32-33,35).

A fé comum identifica os membros da família de Deus. E a afeição comum os une. Paulo apresenta à igreja esta regra de relacionamento: "Dediquem-se uns aos outros com amor fraternal" (Rm 12.10). O apóstolo age aqui como escritor profissional, utilizando nesse versículo sinônimos cognatos. Ele começa com *philostorgos* (*philos* significa "amigável"; *storgos* significa "amor familiar") e conclui com *philadelphia* (*phileo* significa "afeição terna"; *adelfia* significa "irmãos"). Uma tradução estranha, ainda que precisa, poderia ser "tenham dedicação amigável/familiar uns para com os outros de um jeito familiar/amigável". Se Paulo não nos chama atenção com o primeiro adjetivo, certamente nos pega com o segundo. Em ambos ele nos lembra: a Igreja é a família de Deus.

A fé comum identifica os membros da família de Deus. E a afeição comum os une.

Você não me escolheu. Eu não escolhi você. Você pode não gostar de mim. Eu posso não gostar de você. Mas uma vez que Deus escolheu a ambos e gosta dos dois, somos família.

QUEBRANDO A ROTINA

Estamos nisso juntos. Somos mais do que seguidores de Cristo, discípulos de Cristo. "Somos membros do seu corpo"

(Ef 5.30). "Ele é a cabeça do corpo, que é a igreja" (Cl 1.18). Eu não sou o corpo dele; você não é o corpo dele. Nós, juntos, somos o corpo dele.

Faça a vida valer a pena

Conforto

DEUS NAS FERIDAS DA VIDA

Marta sentou-se num mundo desalentado, nublado e choroso. E Jesus sentou-se ali junto dela. "Eu sou a ressurreição e a vida. Aquele que crê em mim, ainda que morra, viverá" (Jo 11.25). Ouça essas palavras no tom do Super-homem, se você preferir. Clark Kent descendo do nada, rasgando a camisa e arrebentando botões para revelar o S sob a roupa. "EU SOU a Ressurreição e a Vida!!!" Você consegue ver um Salvador com a ternura de um Exterminador do Futuro ignorar as lágrimas de Marta e Maria e, ao fazê-lo, dizer a elas e a todos que choravam para se animarem e confiarem?

Eu não. Não consigo por causa do que Jesus faz em seguida. Ele chora. Ele se senta no banco, entre Maria e Marta, coloca um braço no ombro de cada uma e soluça. Entre os três, um tsunami de tristeza se abate; uma monção de lágrimas é liberada. Lágrimas que reduzem a rabiscos a imagem pintada em aquarela de um Cristo paladino. Jesus chora.

Ele chora com elas.

Ele chora por elas.

Ele chora com você.

Ele chora por você.

Ele chora para que saibamos: chorar não é descrer. Olhos rasos d'água não representam um coração sem fé. Uma pessoa pode entrar num cemitério cheio da certeza da vida depois da morte em Jesus e ainda ter uma cratera do tamanho das Torres Gêmeas no coração. Cristo fez isso. Ele chorou, e sabia que estava a dez minutos de ver um Lázaro vivo!

E as lágrimas dele dão a você permissão para derramar as suas. A tristeza não significa que você não confia; significa apenas que você não pode suportar a ideia de outro dia sem o Jacó ou o Lázaro de sua vida. Se Jesus deu o amor, ele entende as lágrimas. Portanto, lamente, mas não lamente como aqueles que não conhecem o resto desta história.

O Salvador mora ao lado

Carlos Andres Baisdon-Niño se deita com seu livro favorito de histórias bíblicas. Ele começou com o primeiro capítulo e virou cada página até o final. Quando terminou, jogou seu beijo de boa noite para Mami e Papi, para suas três niñas e, então, como sempre, jogou um beijo para Papa Dios. Fechou os olhos, virou-se para dormir e acordou no céu.

Carlos tinha 3 anos.

Quando me encontrei com Tim e Betsa, seus pais, para organizar o funeral, eles quiseram que eu assistisse a um vídeo de Carlos. "Você precisa vê-lo dançando", Tim me disse. Bastou uma olhada para eu entender por quê. O que o pequeno Carlos fazia ao ritmo de uma música latina não pode ser descrito por palavras. Ele se agitava de cima a baixo. Seus pés se moviam, suas mãos se agitavam, sua cabeça chacoalhava. Dava a impressão que seus batimentos cardíacos eram mais rápidos que aquele ritmo típico da Colômbia.

Rimos muito, nós três. E no riso, por apenas um instante, Carlos estava conosco. Por apenas um momento não havia leucemia, seringas, lençóis ou quimioterapia. Não havia lápide a esculpir ou sepultura a escavar. Havia apenas Carlos. E Carlos estava apenas dançando.

Mas então o vídeo parou, e assim também o riso. E aquela mãe e aquele pai retomaram sua lenta caminhada pelo vale da sombra da morte.

Você está passando pela mesma sombra? As mãos que seguram este livro são as mesmas mãos que tocaram o rosto frio de um amigo? Os olhos que caem sobre estas páginas também caíram sobre o corpo sem vida de um marido, uma esposa, ou um filho? Você está passando pelo vale? Se não está, essas reflexões podem parecer desnecessárias. Sinta-se à vontade para seguir em frente — elas estarão aqui quando precisar.

Se, porém, foi isso o que aconteceu, então você sabe que o fardo negro da tristeza é duro de carregar.

É duro de carregar porque nem todo mundo entende sua dor. As pessoas entenderam no início. Entenderam no funeral. Entenderam ao lado da sepultura. Mas não entendem agora; não compreendem. A dor permanece.

Tão silenciosas quanto uma nuvem que se coloca entre você e o sol da tarde, as lembranças vagueiam entre você e a alegria, deixando-o numa sombra fria. Sem aviso. Sem que se perceba. Basta um leve odor do perfume que ele usava ou um verso da música que ela amava, e você está novamente dizendo adeus.

Por que a tristeza não nos deixa em paz?

Porque você sepultou mais do que uma pessoa. Você sepultou um pouco de si mesmo. Não foi o poeta e pregador inglês John Donne quem disse que "a morte de qualquer homem me diminui"? É como se a raça humana residisse em um enorme trampolim. Os movimentos de um podem ser sentidos por todos. E quanto mais próximo o relacionamento, mas sentida é a saída. Quando alguém que você ama morre, isso o afeta.

Por que a dor permanece? Porque você está lidando com mais do que lembranças — você está lidando com amanhãs não vividos. Você não apenas está lutando contra a tristeza — está lutando contra o desapontamento. Também está lutando contra a raiva.

Pode estar na superfície. Pode estar no subterrâneo. Pode ser uma chama. Pode ser um maçarico. Mas a raiva vive na casa da tristeza. Raiva de si. Raiva da vida. Raiva do exército, do hospital ou da estrada. Mas, acima de tudo, raiva de Deus. Raiva que assume a forma de uma pergunta de duas palavras: por quê? Por que ele? Por que ela? Por que agora? Por que nós?

Você e eu sabemos que não posso responder a essa pergunta. Somente Deus sabe as razões por trás de seus atos. Mas aqui está uma verdade-chave na qual podemos nos firmar.

Nosso Deus é um Deus bom.

> Deus é um Deus bom. [...] Ainda que não entendamos suas ações, podemos confiar em seu coração.

"Tu, Senhor, és bom. Bom e justo é o Senhor" (Sl 25.7-8).

"Provem, e vejam como o Senhor é bom" (Sl 34.8).

Deus é um Deus bom. Devemos começar aqui. Ainda que não entendamos suas ações, podemos confiar em seu coração.

Aliviando a bagagem

"Surpresa!"

Adicione à lista de tristeza, perigo, suspense e caos a palavra *interrupção*. Os planos de Jesus são interrompidos. O que ele tem em mente para o dia dele e o que as pessoas têm em mente para o dia dele são agendas completamente diferentes. O que Jesus busca e o que ele alcança não são a mesma coisa.

Isso lhe parece familiar?

Lembra-se de quando você queria descansar à noite e o que conseguia era um bebê com cólica? Lembra-se de quando queria tirar o atraso nas tarefas do escritório e ficava ainda mais para trás? Lembra-se de quando queria usar o sábado para descansar mas terminava consertando a pia do seu vizinho?

Não desanime, meu amigo. Isso também aconteceu com Jesus.

Na verdade, este seria um bom momento para fazer uma pausa e digerir a mensagem central...

Jesus sabe como você se sente.

Pense nisso e use isso da próxima vez que seu mundo for da calma ao caos.

Seu pulso acelerou. Seus olhos se cansaram. Seu coração pesou. Ele teve de sair da cama com a garganta inflamada. Ficou acordado até tarde e teve de levantar cedo. Ele sabe como você se sente.

Seu pulso acelerou. Seus olhos se cansaram. Seu coração pesou. [...] Ele sabe como você se sente.

Você pode ter dificuldades para acreditar nisso. Você talvez acredite que Jesus sabe o que significa suportar pesadas tragédias. Você não tem dúvidas de que Jesus conhece a tristeza e já enfrentou o medo. A maioria das pessoas aceita isso. Mas será que Deus pode se identificar com as lutas e as dores de cabeça da minha vida? Ou da sua vida?

Por alguma razão, é mais difícil acreditar nisso.

Talvez seja por isso que partes deste dia estão registradas em todos os quatro evangelhos (Mt 14.1-33; Mc 6.1-51; Lc 9.1-27; Jo 6.1-21). Nenhum outro evento, além da crucificação, é contado pelos quatro evangelistas. O batismo de Jesus não é. Sua tentação não é. Nem mesmo seu nascimento. Mas os quatro autores relatam este dia. É como se Mateus, Marcos, Lucas e João soubessem que você fosse se perguntar se Deus entende. E eles proclamam a resposta numa harmonia a quatro vozes:

Jesus sabe como você se sente.

Um dia na vida de Jesus

Outro dia li uma palavra na Bíblia que, desde então, fixou residência em meu coração.

Para ser honesto, não sabia exatamente o que fazer com ela. É apenas uma palavra, que nem é muito grande. Quando tropecei nela (o que, a propósito, foi exatamente o que aconteceu; eu dava uma olhada na passagem e a palavra veio do nada e me chacoalhou como uma lombada no meio da rua), eu não sabia o que fazer. Eu não tinha nenhum gancho para pendurá-la nem uma categoria na qual arquivá-la.

Era uma palavra enigmática numa passagem enigmática. Porém, 48 horas depois, encontrei um lugar para ela, um lugar exclusivo. Puxa, que palavra! Não a leia a menos que você não se importe em mudar sua mente, porque esta pequena palavra pode provocar certa mudança na sua mobília espiritual.

Veja a passagem comigo.

> A seguir Jesus saiu dos arredores de Tiro e atravessou Sidom, até o mar da Galileia e a região de Decápolis. Ali algumas

pessoas lhe trouxeram um homem que era surdo e mal podia falar, suplicando que lhe impusesse as mãos.

Depois de levá-lo à parte, longe da multidão, Jesus colocou os dedos nos ouvidos dele. Em seguida, cuspiu e tocou na língua do homem. Então voltou os olhos para o céu e, com um profundo suspiro, disse-lhe: "*Efatá*!", que significa "abra-se!". Com isso, os ouvidos do homem se abriram, sua língua ficou livre e ele começou a falar corretamente.

Marcos 7.31-35

Que passagem, não é?

Jesus é apresentado a um homem que é surdo e tem problemas de fala. Talvez fosse gago. Talvez tivesse a língua presa. Talvez, por causa de sua surdez, nunca tivesse aprendido a articular as palavras corretamente.

Recusando-se a tirar proveito da situação, Jesus levou o homem à parte. Olhou para ele de frente. Ciente de que seria inútil conversar, explicou o que estava prestes a fazer por meio de gestos. Cuspiu e tocou a língua do homem, dizendo-lhe que aquilo que restringia sua fala estava prestes a ser removido. Tocou os ouvidos dele. Pela primeira vez, eles estavam prestes a escutar.

Mas antes que o homem dissesse uma palavra ou ouvisse um som, Jesus fez algo que eu jamais teria imaginado.

Ele suspirou.

Eu poderia esperar um aplauso, uma música ou uma oração. Até mesmo um "Aleluia!" ou uma breve lição seriam adequados. Mas o Filho de Deus não fez nada disso. Ao contrário, fez uma pausa, olhou para o céu e suspirou. Das profundezas de seu ser despontou uma emoção que disse mais do que palavras.

Suspirou. A palavra parecia fora de lugar.

Eu jamais pensaria em Deus como alguém que suspira. Imaginaria Deus como alguém que comanda. Imaginaria Deus como alguém que chora. Imaginaria Deus como alguém que trouxe mortos de volta à vida com uma ordem ou que criou o universo com uma palavra... Mas um Deus que suspira?

> Das profundezas de seu ser despontou uma emoção que disse mais do que palavras.

Talvez a frase tenha chamado minha atenção porque eu mesmo tenho os meus suspiros.

Suspirei quando visitei uma senhora cujo marido inválido havia piorado tanto que não me reconheceu. Ele achava que eu estava tentando lhe vender alguma coisa.

Suspirei quando a menina de 6 anos, de rosto sujo e com roupas surradas, me pediu um trocado na mercearia.

E suspirei quando ouvi um marido contar que sua esposa não o perdoaria.

Sem dúvida você também tem os seus suspiros.

Se você tem filhos adolescentes, provavelmente já suspirou. Se tentou resistir à tentação, provavelmente já suspirou. Se suas motivações foram questionadas ou seus melhores atos de amor foram rejeitados, você foi forçado a respirar bem fundo e deixar escapar um suspiro dolorido.

Entendo que exista um suspiro de alívio, um suspiro de expectativa e até mesmo um suspiro de alegria. Mas o suspiro descrito em Marcos 7 não é de nenhum desses tipos. O suspiro descrito ali é um misto de frustração e tristeza. Ele se situa em algum lugar entre um ataque de raiva e uma explosão de lágrimas.

O apóstolo Paulo falou desse suspiro. Em dois momentos ele disse que os cristãos suspirarão enquanto estiverem na terra e ansiarem pelo céu.

A criação geme como se estivesse dando à luz. Até mesmo o Espírito geme enquanto interpreta nossas orações (Rm 8.22-27).

Todos esses suspiros ou gemidos vêm da mesma ansiedade: o reconhecimento da dor que nunca foi planejada ou da esperança que desapareceu.

O homem não foi criado para ficar separado de seu criador; por isso ele suspira, ansiando por seu lar. A criação não foi feita para ser habitada pelo mal; por isso ela suspira, desejando o jardim. E as conversas com Deus não foram idealizadas para depender de um tradutor; por isso o Espírito geme em nosso favor, esperando pelo dia em que os humanos verão a Deus face a face.

E quando Jesus olhou nos olhos da vítima de Satanás, a única coisa apropriada a fazer era suspirar. "Não foi planejado desse modo", dizia o suspiro. "Seus ouvidos não foram feitos para ser surdos; sua língua não foi feita para gaguejar". O desequilíbrio de tudo isso levou o Mestre a se entristecer.

Então encontrei um lugar para a palavra. Você pode achar estranho, mas a coloquei ao lado da palavra *conforto*, pois, de maneira indireta, a dor de Deus é o nosso conforto.

DEUS CHEGOU MAIS PERTO

Você pode ouvir a notícia de um policial: "Sinto muito. Ele não sobreviveu ao acidente".

Você pode retornar a ligação de um amigo e acabar ouvindo "o cirurgião tinha más notícias".

Muitos cônjuges já ouviram estas palavras de soldados com rosto triste: "Lamentamos informar que...".

Em momentos assim, a primavera se torna inverno, o azul se torna cinza, os pássaros silenciam e o arrepio da tristeza se faz sentir. Faz frio no vale da sombra da morte.

O mensageiro de Davi não é um policial, um amigo ou um soldado. É um amalequita esbaforido, com roupas rasgadas e cabelo cheio de sujeira que chega aos tropeções a Ziclague com a notícia: "O nosso exército fugiu da batalha, e muitos morreram. Saul e Jônatas também estão mortos" (2Sm 1.4).

Davi sabe que os hebreus estão lutando contra os filisteus. Ele sabe que Saul e Jônatas estão no meio da batalha de suas vidas. Ele estava esperando pelo resultado. Ao presentear Davi com a coroa e o bracelete de Saul, o mensageiro dá a Davi provas irrefutáveis — Saul e Jônatas estão mortos.

Jônatas. Mais próximo que um irmão. Ele salvara a vida de Davi e havia jurado proteger os filhos dele.

Saul. Escolhido de Deus. Ungido de Deus. Sim, ele havia perseguido Davi. Ele irritara Davi. Mas ele ainda era o ungido de Deus.

O rei escolhido por Deus — morto.

O melhor amigo de Davi — morto.

Isso levou Davi a enfrentar outro gigante: o gigante do luto.

Sentimos sua mão pesada sobre nossos ombros. Não em Ziclague, mas em prontos-socorros, em hospitais infantis, em acidentes automobilísticos e nas guerras. Tal como Davi, nós temos duas escolhas: fugir ou enfrentar o gigante.

Tal como Davi, nós temos duas escolhas: fugir ou enfrentar o gigante.

Muitos optam por fugir do luto. O capitão Woodrow Call pediu ao jovem Newt que fizesse isso. No filme *Os pistoleiros do oeste* (*Lonesome Dove*, 1969), Call e Newt fazem parte de uma caravana de transporte de gado que ia do Texas a Montana na década de 1880. Quando uma cobra venenosa põe fim à vida do melhor amigo de Newt, Call oferece conselhos sobre privação, ao estilo do oeste. No enterro, sob a sombra dos olmos e na presença de caubóis, ele aconselha: "Fuja disso, filho. Essa é a única maneira de lidar com a morte. Afaste-se dela".

O que mais podemos fazer? A sepultura provoca essa ferida indizível e perguntas impossíveis de serem respondidas, de modo que somos tentados a virar e seguir em frente. Mudar de assunto, evitar a questão. Trabalhe duro. Beba mais. Permaneça ocupado. Fique longe. Siga para Montana e não olhe para trás.

Contudo, pagamos um alto preço quando fazemos isso. Privação vem da palavra *privar*. Procure *privar* no dicionário e você encontrará "tirar à força, saquear, roubar". A morte rouba você. A sepultura saqueia momentos e lembranças ainda não compartilhadas: aniversários, férias, passeios, conversas à mesa. Você é privado porque foi roubado.

Nada mais é normal e jamais voltará a ser. [...]

Assim que você acha que a besta do luto se foi, você ouve uma música que ela gostava ou sente o cheiro do perfume que ele usava, ou passa em frente ao restaurante ao qual vocês costumavam ir. O gigante continua aparecendo.

E o gigante do luto continua provocando, provocando...

Ansiedade. "Sou o próximo?"

Culpa. "Por que eu lhe disse...?" "Por que eu não disse a ela...?"

Melancolia. Você vê casais preservados e sente saudades do seu par. Você vê pais com crianças e se lembra de seu filho.

O gigante provoca insônia, perda de apetite, esquecimento, pensamentos de suicídio. O luto não é uma doença mental, mas ele com certeza se parece com uma de vez em quando.

O capitão Call não entendia isso.

Seus amigos talvez não entendam isso.

Você também pode não entender. Mas, por favor, tente. Entenda a gravidade de sua perda. Você não perdeu no Banco Imobiliário ou colocou as chaves no lugar errado. Você não pode fugir. Em algum momento, daqui a minutos ou meses, você precisará fazer o que Davi fez. Enfrente seu luto.

DERRUBANDO GOLIAS

Dizemos que a vida é curta, mas, em comparação com a eternidade, quem tem vida longa? Os dias de uma pessoa sobre a terra podem se parecer com uma gota no oceano. Os seus e os meus podem parecer uma ninharia. Mas, comparados ao Pacífico ou ao Atlântico da eternidade, nem mesmo os anos de Matusalém conseguiriam preencher mais do que um copo. Tiago não estava falando apenas aos jovens quando disse que nossa vida é "como a neblina que aparece por um pouco de tempo e depois se dissipa" (Tg 4.14).

No plano de Deus, toda vida é longa o suficiente e toda morte acontece no tempo certo. Ainda que eu e você possamos desejar uma vida mais longa, Deus sabe o que é melhor.

E — isto é importante — embora eu e você possamos desejar uma vida mais longa para nossos queridos, eles não desejarão. Ironicamente, a primeira pessoa a aceitar a decisão de Deus quanto à morte é aquele que morre.

Enquanto chacoalhamos a cabeça em descrença, eles erguem as mãos em adoração. Enquanto choramos junto à sepultura, eles estão se maravilhando no céu. Enquanto questionamos a Deus, eles o louvam.

ALIVIANDO A BAGAGEM

Não sabemos por quanto tempo Jesus chorou. Não sabemos por quanto tempo Davi chorou. Mas sabemos por quanto tempo choramos, e esse período parece truncado. Os egípcios se vestem de negro por seis meses. Alguns muçulmanos usam roupas de luto por um ano. Judeus ortodoxos oferecem orações por um parente falecido todos os dias por onze meses.

E hoje? Sou eu o único que sente que tentamos apressar a cura de nossas feridas?

O luto requer tempo. Dê um tempo a si mesmo. "O sábio pensa com seriedade na morte" (Ec 7.4, AM). *Lamento* pode ser uma palavra estranha em nosso mundo, mas não nas Escrituras. Setenta por cento dos salmos são poemas de tristeza. Ora, o Antigo Testamento inclui um livro de lamentações. O filho de Davi escreveu: "A tristeza é melhor do que o riso porque o rosto triste melhora o coração" (Ec 7.3).

O luto requer tempo. Dê um tempo a si mesmo.

Exploramos as questões mais profundas da vida na caverna da tristeza. Por que estou aqui? Para onde vou? Voltas no cemitério levantam questões difíceis, mas vitais. Davi cedeu à força plena de seu remorso: "Estou exausto de tanto gemer. De tanto chorar inundo de noite a minha cama; de lágrimas encharco o meu leito" (Sl 6.6).

Mais adiante, ele continua: "Minha vida é consumida pela angústia, e os meus anos pelo gemido; minha aflição esgota as minhas forças, e os meus ossos se enfraquecem" (Sl 31.10).

Você está irritado com Deus? Diga a ele. Está aborrecido com Deus? Deixe que ele saiba. Cansado de dizer às pessoas que você está bem quando não está? Conte a verdade.

Davi convocou a nação para prantear. Ele transformou o choro numa política pública. Recusou-se a encobrir a morte ou a torná-la menos importante. Ele a enfrentou, combateu e desafiou. Mas não a negou. Como seu filho Salomão explicou, "há um tempo [...] de prantear" (Ec 3.1,4).

Dê um tempo a si mesmo.

DERRUBANDO GOLIAS

Compaixão

Amor pelos menos importantes

Alguns leitores têm o toque de mestre do próprio Médico. Você usa suas mãos para orar pelo doente e ministrar ao fraco. Se você não os estiver tocando pessoalmente, suas mãos estão escrevendo cartas, fazendo ligações telefônicas, assando bolos. Você aprendeu o poder de um toque.

Mas há outros de nós que tendem a se esquecer. Nosso coração é bom; o único problema é que nossa memória é fraca. Esquecemo-nos de como um toque pode ser significativo. Tememos dizer a coisa errada, usar o tom errado ou agir da maneira errada. Assim, em vez de fazer do jeito errado, acabamos não fazendo nada.

Não estamos felizes por Jesus não ter cometido o mesmo erro? Se seu medo de fazer a coisa errada o impede de fazer alguma coisa, tenha em mente a perspectiva dos leprosos do mundo. Eles não são exigentes. Eles não são enjoados. São apenas solitários. Eles anseiam por um toque piedoso.

Jesus tocou os intocáveis do mundo. Você se dispõe a fazer o mesmo?

Simplesmente como Jesus

Deus nos chama a mudar a maneira como olhamos para as pessoas. Não devemos vê-las como gentios ou judeus, de dentro ou de fora, liberais ou conservadores. Não devemos rotular. Rotular é caluniar. "Deixem de ficar avaliando os servos de Cristo pelo que o mundo pensa a respeito deles" (2Co 5.16, NBV).

Devemos enxergar as pessoas de maneira diferente; que as vejamos como vemos a nós mesmos. Marcados, talvez. Inacabados, com certeza. Contudo, uma vez resgatados e restaurados, podemos projetar a luz, como os vitrais das duas janelas de meu escritório.

Meu irmão encontrou os vitrais numa pilha de um ferro-velho. Alguma igreja os havia descartado. Dee, um carpinteiro talentoso, os recuperou. Repintou a madeira lascada, consertou a moldura desgastada. Selou algumas das rachaduras no vidro colorido. As janelas não são perfeitas. Mas, suspensas num lugar onde o sol possa passar por elas, elas geram uma cascata de luz multicolorida na sala.

Durante nossa vida, eu e você vamos cruzar com algumas pessoas descartadas. Jogadas fora. Às vezes jogadas fora por uma igreja. E precisamos escolher: desprezar ou resgatar? Rotulá-las ou amá-las? Sabemos qual é a escolha de Jesus. Apenas veja o que ele fez conosco.

Faça a vida valer a pena

É um dia verdadeiramente maravilhoso quando paramos de trabalhar para Deus e começamos a trabalhar com Deus.

Simplesmente como Jesus

Você está bastante orgulhoso das novas luvas que acabou de comprar. O antigo par estava gasto e esfarrapado, impotente diante das garras do inverno. Por conta disso, você procurou até encontrar o par de luvas perfeito. Quantas examinou? Dezenas. E quantas provou? Quase a mesma quantidade. Afinal de contas, para que servem as luvas se você não gostar delas ou se elas não couberem?

Ah, mas então você encontrou estas. A vendedora lhe fez um favor. Ela abriu a parte de baixo do balcão e pegou um par ainda dentro da embalagem original. Você pagou o preço e saiu pela porta, abrindo o pacote. E agora, caminhando pela avenida numa manhã fria, você se prepara para usar suas luvas novinhas.

Você vai para o lado da calçada, liberando a passagem das pessoas, rasga a embalagem plástica e enfia a mão no calor da lã, e acaba interrompendo a caminhada. Você não consegue colocar os dedos nos dedos da luva! As cinco entradas estão costuradas. Erro da fábrica? Descuido da loja? Quem sabe? Uma coisa é certa: seus dedos não encherão aquela luva. O punho fechado pode ser, mas a mão aberta, não.

"Tudo bem", você diz a si mesmo. "Vou dar um jeito." Você enfia a mão fechada e fica assim, com os dedos dobrados, os dedos da luva balançando. Não era exatamente o que tinha em mente, mas, ora, quando sua mão esquenta, não há do que reclamar. Os dedos dobrados ficam bem e confortáveis. Congelamento não é mais uma preocupação.

A função, porém, sim. Já tentou pegar um jornal com os dedos dobrados dentro de uma luva? Não é fácil. Amarrar os sapatos também não. Suas mãos parecem cascos de cavalo. Acene para alguém e a pessoa vai pensar que você está movendo o punho fechado. E nem pense em pegar uma caneta ou fazer uma ligação no celular. Lã mole não segura nada.

Você quer dedos estendidos, esticados e fortes. Por quê? Você tem o chão para varrer. Um volante para segurar. A mão de um vizinho para apertar. Resumindo, você tem coisas para fazer.

Deus também. Bebês precisam de abraços. Crianças precisam ser colocadas na cama. Órfãos da Aids precisam de lares. Executivos estressados precisam de esperança. Deus tem um trabalho a fazer. E ele usa nossas mãos para realizá-lo.

O que a mão é para a luva, o Espírito é para o cristão. "Eis que estou à porta e bato. Se alguém ouvir a minha voz e abrir a porta, *entrarei*" (Ap 3.20, grifo do autor). Deus entra em nós. Às vezes, de modo imperceptível. Em outros momentos, de maneira avassaladora. Deus coloca seus dedos em nossa vida, centímetro a centímetro, reivindicando o território que, por direito, é dele.

Sua língua. Ele a reivindica para a mensagem dele.

Seus pés. Ele os requisita para os propósitos dele.

Sua mente? Ele a criou e planeja usá-la para a glória dele.

Deus coloca seus dedos em nossa vida, centímetro a centímetro, reivindicando o território que, por direito, é dele.

Seus olhos, face e mãos? Através deles ele vai chorar, sorrir e tocar.

Como a luva reage à força da mão, você corresponderá à direção de Cristo até o ponto de dizer "já não sou eu quem vive, mas Cristo vive em mim" (Gl 2.20).

QUEM TEM SEDE VENHA

ꙮ

A cura de Deus para a vida comum inclui uma forte dose de disposição para o serviço. Lembrete oportuno. Enquanto você celebra seu projeto singular, seja cuidadoso. Não se concentre tanto naquilo que você adora fazer a ponto de negligenciar aquilo que precisa ser feito.

Uma troca de fraldas às três horas da manhã não é uma das coisas mais agradáveis da vida. Visitar seu vizinho doente não é algo natural para você. Ainda assim, o doente precisa de encorajamento, garagens precisam ser varridas e fraldas precisam ser trocadas.

O mundo precisa de servos. Pessoas como Jesus, "que não veio para ser servido, mas para servir" (Mt 20.28). Ele escolheu a distante Nazaré em lugar do palco central de Jerusalém, a carpintaria de seu pai em lugar de um palácio com colunas de mármore, e três décadas de anonimato em lugar de uma vida de popularidade.

Jesus veio para servir. Ele escolheu a oração em vez do sono, o deserto em vez do Jordão, apóstolos irascíveis em vez de anjos obedientes. Eu teria ficado com os anjos. Se tivesse a oportunidade, teria montado minha equipe apostólica com querubins e serafins, ou Gabriel e Miguel, testemunhas oculares dos resgates do Mar Vermelho e da queda de fogo do monte Carmelo. Eu teria escolhido os anjos.

Mas Jesus não. Ele escolheu as pessoas. Pedro, André, João e Mateus. Quando eles tiveram medo da tormenta, ele a acalmou. Quando eles não tinham dinheiro para os impostos, ele providenciou. E quando não havia vinho para a festa ou comida para a multidão, ele fez os dois.

Ele veio para servir.

Quebrando a rotina

As pessoas estão prestando mais atenção na maneira como agimos do que escutando aquilo que dizemos.

Ouvindo Deus na tormenta

Qual é o seu quociente de bondade? Quando foi a última vez que você fez alguma coisa boa para alguém de sua família — por exemplo, pegar um cobertor, limpar a mesa, preparar o café — sem que lhe pedissem?

Pense em sua escola ou no seu trabalho. Que é a pessoa mais ignorada ou evitada? Um aluno tímido? Uma funcionária mal-humorada? Talvez ele não fale o idioma. Talvez ela não se enquadre. Você é bom para essa pessoa?

Corações bondosos são silenciosamente bondosos. Eles deixam o carro entrar na frente no trânsito e permitem que a mãe de três filhos passe na frente na fila no caixa. Eles pegam o lixo do vizinho que rolou para a rua. E são especialmente bondosos na igreja. Eles entendem que talvez a pessoa mais necessitada que encontrarão naquela semana inteira esteja em pé no saguão ou sentada na fileira de trás durante o culto. Paulo escreve: "Cada vez que tivermos chance, trabalhemos para o benefício de todos, a começar pelos mais próximos de nós na comunidade de fé" (Gl 6.10, AM).

E aqui está um desafio: e quanto aos nossos inimigos? Em que medida você é bondoso para com aqueles que querem o que você quer ou que tiram o que você tem?

Um amigo meu testemunhou um engraçado ato de bondade durante um leilão. O propósito da reunião era levantar dinheiro para uma escola. Alguém havia doado um filhote de cachorro de raça que derreteu o coração e abriu o talão de cheques de muitos convidados. Dois em particular.

Eles se sentaram em lados opostos da sala de festas, um homem e uma mulher. À medida que os lances se sucediam, aqueles dois se destacaram como os mais determinados. Outros desistiram, mas não eles. Lance vai, lance vem, até que um aumentou o quantia em vários milhares de dólares. Não se tratava mais de um filhotinho. A questão era a vitória. Aquilo se transformou na final de Wimbledon, e nenhum dos jogadores se afastava da rede. (Sabia que o diretor da escola estava babando?)

> Corações bondosos são silenciosamente bondosos.

Finalmente, o homem desistiu e não cobriu o lance. "Dou-lhe uma, dou-lhe duas, dou-lhe três. Vendido!" O lugar explodiu em festa e a senhora foi presenteada com o troféu que abanava o rabo. Sua face abrandou-se e, depois, enrubesceu. Talvez tivesse se esquecido de onde estava. Jamais pretendeu seguir por doze rodadas em um jantar formal. Certamente não queria que o mundo visse seu lado *pit bull*.

Mas sabe o que ela fez? Assim que os aplausos diminuíram, ela foi até o outro lado da sala e presenteou o filhote ao seu concorrente.

Suponha que você tenha feito isso com seu concorrente. Com seu inimigo. Com o chefe que o demitiu ou com a esposa que o deixou. Suponha que você os tenha surpreendido com bondade. Não é fácil? Não, não é. Mas a misericórdia é o mais profundo gesto de bondade. Paulo iguala os dois. "Sejam bondosos e compassivos uns para com os outros, perdoando-se mutuamente, assim como Deus os perdoou em Cristo" (Ef 4.32).

A solução definitiva para a pobreza está na compaixão do povo de Deus. As Escrituras não endossam o comunismo forçado, mas o voluntarismo dirigido pelo Espírito entre o povo de Deus.

FAÇA A VIDA VALER A PENA

Às 7h51 de 12 de janeiro de 2007, um jovem músico assumiu seu lugar em frente a uma das paredes de uma estação de metrô em Washington, DC. Ele usava calça jeans, uma camiseta de manga comprida e um boné do time de beisebol Washington Nationals. Abriu o estojo de seu violino, tirou o instrumento, jogou alguns dólares e algumas moedas no estojo como chamariz e começou a tocar.

Tocou pelos 45 minutos seguintes. Apresentou seis peças clássicas. Durante esse tempo, 1.097 pessoas passaram por ali. Elas jogaram dinheiro, cujo total foi US$ 32,17. Das 1.097 pessoas, sete, apenas sete, pararam por mais de sessenta segundos. E, das sete, uma, apenas uma, reconheceu o violinista Joshua Bell.

Três dias antes de sua apresentação no metrô arranjada pelo jornal *The Washington Post*, Bell havia lotado o teatro de Boston, onde o ingresso mais barato custou cem dólares. Duas semanas depois da experiência ele tocou para uma plateia que o assistiu de pé em Bethesda, Maryland. Os talentos de Joshua Bell podem valer mil dólares por minuto. Naquele dia, na estação do metrô, ele mal conseguiu levantar dinheiro suficiente para comprar um par de sapatos baratos.

Não se pode culpar o instrumento. Ele tocou um Stradivarius de 3,5 milhões de dólares, fabricado no período de ouro da carreira de Stradivari. Não se pode culpar a música. Ele tocou com êxito uma peça de Johann Sebastian Bach que Bell chamou de "um dos maiores feitos de qualquer homem da história".

Mas quase ninguém notou. Ninguém esperava excelência naquele contexto. Um engraxate de um lado, um quiosque do outro. Pessoas comprando revistas, jornais, chocolates e bilhetes de loteria. E quem tinha tempo? Era um dia útil. Aquela era a mão de obra de Washington. Especialmente funcionários do governo, a caminho de reuniões de orçamento e encontros gerenciais. Quem tinha tempo para notar a beleza no meio da correria? A maioria não tinha.

A maioria de nós um dia perceberá que nós também não tivemos. Da perspectiva do céu, olharemos para trás, para aqueles dias, aqueles dias ocupados e cheios de coisas para fazer, e perceberemos *que Jesus estava tocando violino. Que era Jesus usando roupas esfarrapadas. Que era Jesus no orfanato, [...] na prisão, [...] no barraco de madeira. A pessoa necessitada de minha ajuda era Jesus.*

> Quando amamos os necessitados, amamos a Jesus

Há muitas razões para ajudar os necessitados.

"A benevolência é boa para o mundo."

"Todos nós flutuamos no mesmo oceano. Quando a maré sobe, todos são beneficiados."

"Libertar alguém da pobreza é liberar seu potencial como pesquisador, educador ou médico."

"À medida que reduzimos a pobreza e a doença, reduzimos a guerra e as atrocidades. Pessoas sadias e felizes não ferem umas às outras."

A compaixão tem dezenas de advogados.

Para o cristão, porém, nenhum é maior que este: quando amamos os necessitados, amamos a Jesus. É um mistério além da ciência, uma verdade além das estatísticas. Mas é uma mensagem bastante clara que Jesus deixou: quando amamos essas pessoas, nós amamos a ele.

FAÇA A VIDA VALER A PENA

Criação

Um mundo envolto em esplendor

Por que você olha para o pôr do sol e admira o céu noturno de verão? Por que você procura um arco-íris na névoa ou contempla o Grand Canyon? Por que você permite que as ondas do Pacífico o impressionem e as cataratas do Niágara o hipnotizem? Como explicar nossa fascinação por tais visões?

Beleza? Sim. Mas a beleza não aponta para Alguém belo? A imensidão do oceano não sugere um Criador imenso? O ritmo das aves migratórias e das baleias belugas não dá uma indicação de uma mente brilhante? E não é isso o que desejamos? Um Criador lindo? Um Senhor imenso? Um Deus tão poderoso que possa comissionar os pássaros e comandar os peixes?

Isto não é para mim

"No princípio Deus criou os céus e a terra" (Gn 1.1).

O que texto diz é: "Deus *criou* os céus e a terra". Não diz que "Deus *fez* os céus e a terra". Também não diz que Deus "xerocou" os céus e a terra. Ou construiu, ou desenvolveu, ou produziu em massa. Não, a palavra é *criou.*

E essa única palavra transmite muita coisa. Criar é algo muito diferente de construir. A diferença é bastante óbvia.

Construir algo envolve apenas as mãos, enquanto que criar algo envolve o coração e a alma.

Você provavelmente já percebeu isso em sua própria vida. Pense em algo que você criou. Uma pintura, talvez. Ou uma música. Aqueles versos de poesia que você nunca mostrou a ninguém. Ou até mesmo a casinha do cachorro no fundo do quintal.

Como você se sente em relação a essa criação? Bem? Espero que sim. Orgulhoso? Até mesmo defensor? Pois deveria. Parte de você vive naquele projeto. Quando cria algo você está colocando um pouco de si naquilo. É muito maior do que uma tarefa comum ou uma missão; é uma expressão de você mesmo!

Agora, imagine a criatividade de Deus. De tudo o que não sabemos sobre a criação, existe uma coisa que sabemos com certeza: ele a fez com um sorriso. Ele deve ter se divertido. Pintar as listras da zebra, pendurar as estrelas no céu, colocar ouro no pôr do sol. Que criatividade! Esticar o pescoço da girafa, colocar o movimento das asas dos pássaros, estabelecer a risada da hiena.

> De tudo o que não sabemos sobre a criação, existe uma coisa que sabemos com certeza: ele a fez com um sorriso.

Que bons momentos foram aqueles. Como um carpinteiro assobiando em sua oficina, ele amou cada pedaço de tudo aquilo. Ele derramou de si mesmo naquela obra. Tão aplicada foi sua criatividade que ele tirou um dia de folga no final da semana apenas para descansar.

Então, como a parte final de uma performance brilhante, ele criou o homem. Com seu típico talento criativo, ele começou com um amontoado inútil de terra e terminou com uma espécie valiosíssima chamada humana. Um humano que teve a honra singular de receber o carimbo "à sua imagem".

Neste ponto da história, alguém poderia se sentir tentado a levantar e aplaudir. "Bravo!" "Bis!" "Incomparável!" "Belíssimo!"

Mas o aplauso seria prematuro. O Artista Divino ainda estava por revelar sua maior criação.

Conforme a história se revela, o demônio de uma serpente joga uma conversa e um fruto, e o ingênuo Adão engole os dois. Esse único ato de rebelião coloca em movimento um dramático e errático período de galanteio entre Deus e o homem. Embora os personagens e as cenas mudem, o cenário se repete interminavelmente. Deus, ainda o Criador compassivo, corteja sua criação. O homem, a criação, alterna voltas em arrependimento e fugas em rebelião.

É dentro desse enredo simples que a criatividade de Deus floresce. Se você achava que ele foi criativo com o mar e as estrelas, espere até ler o que ele faz para que sua criação o escute!

> Deus, motivado por seu amor e guiado por sua divindade, surpreendeu a todos. Ele se tornou homem.

Por exemplo:

Uma idosa de 90 anos fica grávida.
Uma mulher se transforma em sal.
Um dilúvio cai sobre a terra.
Um arbusto queima (mas não se consome!).
O Mar Vermelho se divide em dois.
As muralhas de Jericó caem.

Chove fogo do céus.
Uma jumenta fala.

Isso é que são efeitos especiais! Mas esses atos, mesmo que engenhosos, ainda não podem se comparar ao que estava por vir.

Perto do clímax da história, Deus, motivado por seu amor e guiado por sua divindade, surpreendeu a todos. Ele se tornou homem. Em um mistério intocável, disfarçou-se de carpinteiro e viveu numa empoeirada vila judaica. Determinado a provar o amor que tinha por sua criação, caminhou incógnito em seu próprio mundo. Suas mãos calejadas tocaram feridas e suas palavras cheias de compaixão tocaram corações. Ele se tornou um de nós.

Seu nome é Salvador

Não temos desculpa, porque Deus revelou-se a nós através de sua criação.

O salmista escreveu:

> Os céus declaram a glória de Deus; o firmamento proclama a obra das suas mãos. Um dia fala disso a outro dia; uma noite o revela a outra noite. Sem discurso nem palavras, não se ouve a sua voz. Mas a sua voz ressoa por toda a terra, e as suas palavras, até os confins do mundo.
>
> Salmos 19.1-4

Cada estrela é um anúncio. Cada folha é um lembrete. As geleiras são megafones, as estações são capítulos, as nuvens são cartazes. A natureza é uma música de muitas partes, mas de um único tema e um verso: *Deus é...*

A criação é o primeiro missionário de Deus. Há aqueles que nunca seguraram uma Bíblia nem ouviram as Escrituras. Há aqueles que morrem antes de um tradutor colocar a Palavra de Deus em seu idioma. Há milhões que viveram em tempos antigos antes de Cristo ou que vivem em terras distantes, bem longe de cristãos. Há as pessoas de mente simples, incapazes de entender o evangelho. O que o futuro reserva para a pessoa que nunca ouviu falar de Deus?

A criação é o primeiro missionário de Deus.

Mais uma vez, a resposta de Paulo é clara. O coração humano pode conhecer a Deus através da obra da natureza. Se isso for tudo que alguém venha a enxergar, será o suficiente. A pessoa precisa apenas responder àquilo que lhe é dado. E se lhe foi dado apenas o testemunho da criação, então ela tem o bastante.

NAS GARRAS DA GRAÇA

Por que ele fez isso? Uma cabana seria suficiente, mas ele nos deu uma mansão. Ele precisava dar aos pássaros um canto e às montanhas um cume? Foi-lhe pedido que colocasse listras na zebra ou corcovas no camelo? Teríamos sabido a diferença caso ele tivesse feito o pôr do sol cinza em vez de laranja? Por que as estrelas cintilam e as ondas têm cristas brancas como a neve? Por que pintar o cardeal de vermelho e as belugas de branco? Por que envolver a criação em tal esplendor? Por que se dar a esse trabalho para distribuir tais presentes?

Por que você faz isso? Você faz a mesma coisa. Já o vi procurando um presente. Já o vi espiando as lojas do *shopping* enquanto caminha pelos corredores. Não estou falando de presentes obrigatórios. Não estou descrevendo a compra de última hora de um perfume na farmácia a caminho da festa de aniversário. Esqueça as promoções e os descontos especiais; estou falando daquela pessoa superespecial e daquele presente superespecial. Estou falando sobre tirar algum dinheiro por mês da conta do supermercado para encontrar o melhor diamante para ela; ficar acordado até mais tarde na véspera de Natal para montar a bicicleta nova. Por que você faz isso? Você faz isso para que os olhos se arregalem. Faz para que o coração pare. Faz para que o queixo caia. Faz para ouvir aquelas palavras de incredulidade: "Você fez isso *para mim*?".

É por isso que faz aquilo. E é por isso que Deus fez aquilo. Da próxima vez que o nascer do sol tirar seu fôlego ou uma campina florida deixá-lo sem palavras, continue dessa maneira. Não diga nada e escute o que o céu sussurra: "Você gostou? Fiz isso só para você".

Estou prestes a dizer algo que você pode achar difícil de acreditar. Você está prestes a ouvir uma opinião que pode despertar sua imaginação. Você não precisa concordar comigo, mas gostaria que pensasse comigo. Você não precisa aceitar, mas pelo menos considere questão. Aqui vai: *se você fosse a única pessoa na terra, a terra seria exatamente igual.* O Himalaia ainda seria comovente e o Caribe ainda teria seu encantamento. O sol ainda se deitaria por trás das Montanhas Rochosas nos finais de tarde e espalharia sua luz pelo deserto nas manhãs. Se você fosse o único peregrino deste globo, Deus não diminuiria a beleza da terra em nem um grau sequer.

Porque ele fez tudo isso para você... E ele está esperando que você descubra esse presente. Ele está esperando que você saia da caverna, esfregue os olhos e veja a brilhante bicicleta vermelha que ele montou, só para você. Ele está esperando que seus olhos arregalem e seu coração pare. Está à espera daquele momento entre a queda do queixo e o pulo do coração. Pois nesse silêncio ele se inclina para frente e sussurra: "Fiz isso só para você".

> Às vezes, de acordo com sua grande sabedoria, nosso Pai celeste nos dá um pedaço do céu apenas para mostrar que ele se importa.

Acha difícil acreditar nesse amor? Tudo bem. Não é porque não consegue imaginar Deus nos dando de presente o pôr do sol que você deve pensar que ele não o faz. Os pensamentos de Deus são mais altos que os nossos. Os caminhos de Deus são maiores que os nossos. E, às vezes, de acordo com sua grande sabedoria, nosso Pai celeste nos dá um pedaço do céu apenas para mostrar que ele se importa.

A GRANDE CASA DE DEUS

Ele salpicou de laranja a aurora
Ele derramou azul pelo céu.
E se você gosta de ver uma revoada de pássaros,
Há chances de vê-la passando.

Ele precisava fazer a cauda do esquilo peluda?
Estava obrigado a fazer o pássaro cantar?
E o jeito engraçado de a galinha correr
Ou a majestade do trovão a soar?

Por que dar perfume a uma flor? Por que dar gosto à comida?
Será que

Ele gosta de ver
Aquele olhar no seu rosto?

ELE ESCOLHEU OS CRAVOS

℘

Vamos ao Jardim e vejamos a semente que tanto abençoou quanto amaldiçoou. Vejamos por que Deus deu ao homem... uma escolha.

Por trás de tudo havia uma escolha. Uma decisão deliberada. Um movimento consciente. Ele não precisava fazer aquilo. Mas optou por fazer. Ele sabia o preço. Viu as implicações. Estava ciente das consequências.

Não sabemos quando decidiu fazer aquilo. Não podemos saber. Não apenas porque não estávamos lá. Porque o tempo não estava lá. O *quando* não existia. Nem o *amanhã* ou o *ontem* ou o *depois*. Pois o tempo não havia.

Não sabemos quando ele pensou em fazer essa escolha. Mas realmente sabemos que ele a fez. Ele não precisava fazê-la. Ele optou por fazê-la.

Ele escolheu criar.

"No princípio Deus criou..." (Gn 1.1).

Com uma decisão, a história começou. A existência tornou-se mensurável.

Do nada veio a luz.

Da luz veio o dia.

Então veio o céu... e a terra.

E sobre esta terra? Uma mão poderosa se pôs a trabalhar.

Vales foram entalhados. Oceanos foram escavados. Montanhas irromperam de terras planas. Estrelas foram arremessadas. Um universo cintilou.

Nosso sol tornou-se apenas um entre milhões. Nossa galáxia tornou-se apenas uma entre milhares. Planetas presos de maneira invisível a sóis rugiram pelo espaço em altíssima velocidade. Estrelas brilharam com um calor que poderia derreter nosso planeta em segundos.

A mão por trás disso era poderosa. Ele é poderoso.

E com seu poder, ele criou. Tão naturalmente como pássaros cantam e peixes nadam, ele criou. Assim como um artista não pode deixar de pintar e um atleta não pode deixar de correr, ele não poderia deixar de criar. Ele era o Criador. Sob todos os aspectos, ele era o Criador. Um sonhador e um projetista incansável.

Da paleta do Artista Eterno surgiram esplendores inimitáveis. Antes que houvesse uma pessoa para ver, sua criação estava grávida de maravilhas. Flores não apenas cresceram; elas floresceram. Galinhas não apenas nasceram; foram chocadas. O salmão não apenas nadou; ele saltou.

A banalidade não encontrou lugar no universo.

Antes que houvesse uma pessoa para ver, sua criação estava grávida de maravilhas.

Ele deve ter amado. Criadores gostam de criar. Tenho certeza de que suas ordens foram deliciosas! "Hipopótamo, você não vai andar, você vai gingar!" "Hiena, um latido é muito comum. Deixe-me mostrar a você o que é rir!" "Guaxinim, fiz uma máscara para você!" "Venha cá, girafa, vamos esticar seu pescoço um pouco mais". E assim por diante. Dar às nuvens sua fofura. Dar aos oceanos seu azul. Dar às árvores seu balanço. Dar aos sapos seu salto e seu coaxar. O poder casou-se com a criatividade, e a criação nasceu.

Ele era poderoso. Ele era criativo.

E ele era amor. Ainda maior, mais poderoso e mais profundo que sua criatividade foi uma característica absoluta:

Amor.

A água deve ser molhada. O fogo deve ser quente. Não se pode tirar o molhado da água e ainda ter água. Não se pode tirar o calor do fogo e ainda ter fogo.

Do mesmo modo, não se pode tirar o amor daquele que já vivia antes do tempo e ainda fazer com que ele exista. Pois ele era... e é... amor.

Sonde-o profundamente. Explore cada canto. Busque cada ângulo. Amor é tudo o que você encontra. Vá para o início de toda decisão que ele tomou e você encontrará amor. Vá ao final de toda história que ele contou, e você verá amor.

Amor.

Nada de amargura. Nada de mal. Nada de crueldade. Apenas amor. Amor impecável. Amor apaixonado. Amor vasto e puro. Ele é amor.

Como resultado, um elefante tem uma tromba para beber. Um gatinho tem uma mãe da qual recebe cuidados. Um pássaro tem um ninho para dormir. O mesmo Deus que foi poderoso o suficiente para entalhar os vales é terno o suficiente para colocar pelos nas patas da mosca para mantê-la aquecida no inverno. A mesma força que dá simetria aos planetas guia o filhote de canguru até a bolsa de sua mãe antes que ela saiba que ele nasceu.

E por ser quem era, ele fez o que fez.

Ele criou um paraíso. Um santuário sem pecado. Um refúgio diante do medo. Um lar antes que houvesse um humano para habitá-lo. Não havia tempo. Não havia morte. Não havia dor. Um presente construído por Deus para sua criação final. Quando concluiu, ele sabia que "tudo havia ficado muito bom" (Gn 1.31).

Mas não era o bastante.

Sua maior obra ainda não fora completada. Uma obra-prima definitiva era necessária antes que ele parasse.

> E por ser quem era, ele fez o que fez. [...] Um presente construído por Deus para sua criação final.

Olhe para os vales para ver a glória do Criador. Toque as flores e sinta a delicadeza dele. Ouça o trovão e escute o poder de Deus. Mas contemple isto — o apogeu — e testemunhe os três... e mais.

Imagine comigo o que pode ter acontecido naquele dia.

Ele colocou uma medida de barro sobre outra até que uma forma sem vida estivesse sobre o chão.

Todos os habitantes do Jardim pararam para testemunhar este evento. Os falcões pairaram. As girafas se esticaram. As árvores se curvaram. As borboletas pousaram em pétalas e assistiram.

"Você me ama, natureza", disse Deus. "Criei você dessa forma. Você me obedece, universo. Você foi planejado para ser assim. Vocês refletem minha glória, céus, pois foram criados dessa forma. Mas este aqui será como eu. Este aqui será capaz de escolher".

Todos silenciaram enquanto o Criador voltou-se a si mesmo e retirou algo que ainda não fora visto. Uma semente. "Ela se chama 'escolha'. É a semente da escolha."

A criação ficou em silêncio e olhou para aquela forma sem vida.

Um anjo falou:

— Mas e se ele...

— E se ele escolher não amar? — completou o Criador. — Venha, vou lhe mostrar.

Sem estar preso ao hoje, Deus e o anjo caminharam pelo reino do amanhã.

— Ali, veja o fruto da semente da escolha, tanto doce quanto amargo.

O anjo ofegou diante do que viu. Amor espontâneo. Devoção voluntária. Opção pela ternura. Ele nunca vira algo como aquilo. Ele sentiu o amor dos Adões. Ouviu a alegria de Eva e suas filhas. Viu a comida e os fardos sendo compartilhados. Absorveu a bondade e maravilhou-se diante da ternura.

— O céu nunca viu tal beleza, meu Senhor. Verdadeiramente esta é a sua maior criação.

— Ah, mas você viu apenas o lado doce. Agora testemunhe o amargo.

Um forte odor envolveu a dupla. O anjo virou-se horrorizado e proclamou:

— O que é isto?

O Criador disse apenas uma palavra:

— *Egoísmo.*

O anjo ficou sem fala enquanto passeavam por séculos de repugnância. Ele nunca vira tanta sujeira. Corações apodrecidos. Promessas quebradas. Lealdades esquecidas. Filhos da criação vagando cegamente por labirintos solitários.

— Esse é o resultado da escolha? — perguntou o anjo.

— Sim.

— Eles vão se esquecer do Senhor?

— Sim.

— Vão rejeitá-lo?

— Sim.

— Nunca mais voltarão?

— Alguns sim. A maioria não.

— O que será preciso para que eles escutem?

O Criador caminhou adiante pelo tempo, muito além, no futuro, até que se colocou ao lado de uma árvore. Uma árvore que seria transformada num berço. Mesmo ali era possível sentir o cheiro da palha que o cercaria.

Depois de outro passo no futuro, ele parou diante de outra árvore. Ela estava sozinha, imperatriz solitária de uma colina sem folhas. O tronco era grosso, e a madeira era forte. Em breve ela seria cortada. Em breve seria aparada. Em breve seria montada sobre a fronte de outra colina. E em breve ele seria pendurado nela.

Ele sentiu a madeira esfregando as costas que ainda não possuía.

— O Senhor vai descer até lá? — perguntou o anjo.

— Descerei.

— Não há outra maneira?

— Não há.

— Não seria mais fácil não plantar a semente? Não seria mais fácil não dar a escolha?

— Seria — disse o Criador calmamente. — Mas remover a escolha é remover o amor.

Mas remover a escolha é remover o amor.

Ele olhou ao redor da colina e anteviu a cena. Três personagens pendurados em três cruzes. Braços abertos. Cabeças inclinadas para frente. Gemiam junto com o vento.

Homens vestindo roupas de soldados sentados no chão perto do trio. Jogavam e riam.

Homens vestidos de religião parados de lado. Eles sorriam. Arrogantes, convencidos. Eles haviam protegido a Deus, pensavam, ao matar aquele que era falso.

Mulheres vestidas de tristeza reunidas ao pé da colina. Sem falar. Faces cortadas por lágrimas. Olhos baixos. Uma coloca o braço ao redor da outra e tenta levá-la para longe. Ela não sairia. "Eu vou ficar", disse ela mansamente. "Eu vou ficar."

Todo céu se preparou para lutar. Toda natureza se levantou para resgatar. Toda eternidade se aprumou para proteger. Mas o Criador não deu o comando.

— Isso tem de ser feito... — disse ele, e se afastou.

Enquanto ele voltava no tempo, ouviu o clamor que um dia daria: "Meu Deus! Meu Deus! Por que me abandonaste?" (Mc 15.34).

Ele se contorceu diante da agonia de amanhã.

O anjo falou mais uma vez:

— Seria menos doloroso...

O Criador interrompeu mansamente:

— Mas não seria amor.

> Aquele que havia escolhido o amor criou um ser que poderia amar em retribuição.

Entraram no Jardim mais uma vez. O Criador olhou sério para a criação de barro. Uma monção de amor formou-se dentro dele. Ele havia morrido por sua criação antes mesmo de tê-la realizado. A forma de Deus reclinou-se sobre a face esculpida e soprou. O pó saiu dos lábios daquele novo ser. O peito se ergueu, rachando o barro vermelho. As maçãs do rosto criaram carne. Um dedo se moveu. E um olho se abriu.

Mais incrível, porém, que o movimento da carne foi o mover do espírito. Aqueles que puderam ver o invisível respiraram fundo.

Talvez tenha sido o vento o primeiro a dizer. Talvez o que a estrela viu naquele momento seja o que a fez brilhar desde então. Talvez tenha ficado ao encargo do anjo sussurrar:

— Ele se parece... se parece tanto... com ele!

O anjo não estava falando do rosto, das características ou do corpo. Estava olhando para dentro — para a alma.

— É eterno! — suspirou outro.

Dentro do homem, Deus havia colocado uma semente divina. Uma semente de si mesmo. O Deus de poder havia criado o ser mais importante da terra. O Criador havia criado não outra criatura, mas outro criador. E aquele que havia escolhido o amor criou um ser que poderia amar em retribuição.

Agora, a escolha é nossa.

Um dia na vida de Jesus

A cruz

UM TRIUNFO DA TERNURA

A cruz.

Ela repousa na linha do tempo da história como um marco constrangedor. Sua tragédia convoca todos os sofredores. Seu absurdo atrai todos os cínicos. Sua esperança encanta todos os que buscam.

E, de acordo com Paulo, a cruz é o que importa.

Puxa, que pedaço de madeira! A história a idolatrou e a desprezou, a cobriu de ouro e a queimou, a usou e a jogou fora. A história fez de tudo com ela, exceto ignorá-la.

Essa é a opção que a cruz não oferece.

Ninguém pode ignorá-la! Você não pode ignorar um pedaço de madeira serrada que ergue o maior clamor da história. Um carpinteiro crucificado afirmando que é Deus na terra? Divino? Eterno? O aniquilador da morte?

Não é surpresa que Paulo a tenha chamado de "o centro do evangelho". Seu resumo é sensato: se o relato é verdadeiro, então ela é o eixo da história. Ponto final. Se não, ela é a farsa da história.

Por isso a cruz é o que importa.

SEU NOME É SALVADOR

A coroa de dor
Coroou sua face gentil,
Três pregos perfuraram carne e madeira
Para mantê-lo preso no lugar.
Entendo a necessidade do sangue.
Aceito seu sacrifício.
Mas a esponja amarga, a lança perfurante,
O cuspe em sua face?
Tinha de ser uma cruz?
Não havia uma morte menos cruel
Do que seis horas pendurado entre a vida e a morte,
Tudo estimulado pelo beijo de um traidor?
"Oh, Pai", você diz,
De coração calado diante do que poderia acontecer,
"Perdoa-me por perguntar, mas desejo saber,
Fizeste isso por mim?".

ELE ESCOLHEU OS CRAVOS

Tal como um mestre da pintura, Deus reservou sua obra-prima para o final. Todos os atos de amor anteriores estavam seguindo na direção deste. Os anjos silenciam e os céus param para testemunhar o último ato. Deus descobre a tela, e o supremo ato de compaixão criativa é revelado.

Deus numa cruz.

O Criador sacrificado pela criação. Deus convencendo o homem de uma vez por todas que o perdão ainda pode ser encontrado após o erro.

Fico pensando se, enquanto estava na cruz, o Criador permitiu que seus pensamentos voassem de volta ao início. Alguém se pergunta se ele permitiu que incontáveis rostos e atos passassem por sua lembrança. Teria ele se lembrado da criação do céu e do mar? Será que reviveu as conversas com Abraão e Moisés? Lembrou-se das pragas e das promessas, do deserto e das andanças? Não sabemos.

Mas de fato sabemos o que ele disse.

"Está consumado".

A missão estava consumada. Tudo o que o mestre pintor precisava fazer estava feito, e fora feito com esplendor. Sua criação poderia agora voltar para casa.

"Está consumado!", ele bradou.

E o grande Criador voltou para casa.

(Contudo, ele não está descansando. A Palavra nos informa que suas mãos incansáveis estão preparando uma cidade tão gloriosa que até mesmo os anjos se arrepiam ao vê-la. Considerando o que ele fez até aqui, essa é uma criação que planejo ver.)

SEU NOME É SALVADOR

Não foram os cravos que prenderam Deus numa cruz. Foi o amor.

QUANDO DEUS SUSSURRA O SEU NOME

Seis horas, uma sexta-feira.

Para o observador desatento, as seis horas são triviais. Um pastor com suas ovelhas, uma dona de casa com seus pensamentos, um médico com seus pacientes. Mas para aquele punhado de testemunhas boquiabertas, o mais insano dos milagres está acontecendo.

Deus numa cruz. O Criador do universo sendo executado.

Cuspe e sangue grudados no rosto, lábios rachados e inchados. Espinhos rasgam-lhe o couro cabeludo. Os pulmões gemem de dor. As pernas se contorcem com câimbras. Nervos tensos ameaçam romper-se conforme a dor ressoa sua melodia mórbida. Contudo, a morte não está pronta. E não há ninguém para salvá-lo, pois ele próprio está se sacrificando.

Não são seis horas normais... Não é uma sexta-feira normal.

Muito pior que o martírio de seu corpo é o retalhar de seu coração.

Seus próprios compatriotas clamaram por sua morte.

Seu próprio discípulo deu o beijo da traição.

Seus próprios amigos fugiram para se proteger.

E agora, seu próprio pai começa a lhe dar as costas, deixando-o sozinho.

Uma testemunha não poderia deixar de perguntar: "Jesus, você não pensa em se salvar? O que o mantém aí? O que o prende à cruz? Pregos não prendem deuses em árvores. O que o faz permanecer?"

Seis horas. Uma sexta-feira.

Permita-me perguntar: o que você faz com esse dia da história? O que você faz com as declarações dele?

Se isso realmente aconteceu, se Deus de fato arbitrou sua própria crucificação, se ele realmente virou as costas para seu próprio Filho, se ele realmente arrebentou os portões de Satanás, então aquelas seis horas daquela sexta-feira foram repletas de trágico triunfo. Se aquele era Deus naquela cruz, então o monte chamado Caveira é granito com estacas encravadas nas quais você pode ancorar.

Aquelas seis horas não foram seis horas normais. Foram as horas mais críticas da história. Pois durante aquelas seis horas daquela sexta-feira, Deus colocou na terra três pontos de ancoragem firmes o suficiente para suportar qualquer furacão.

Ponto de ancoragem número 1: *Minha vida não é vã.* Esta rocha segura o barco do seu coração. Sua única função é lhe dar algo em que você possa segurar quando enfrentar as fortes ondas da futilidade e do relativismo. É um firme apego à convicção de que existe verdade. Alguém está no controle e você tem um propósito.

> Aquele que tem o direito de condená-lo providenciou uma saída para absolvê-lo. Você comete erros. Deus não. E ele criou você.

Ponto de ancoragem número 2: *Meus erros não são fatais.* Não é que ele ame o que você fez, mas ele ama quem você é. Você é dele. Aquele que tem o direito de condená-lo providenciou uma saída para absolvê-lo. Você comete erros. Deus não. E ele criou você.

Ponto de ancoragem número 3: *Minha morte não é definitiva.* Existe uma outra pedra à qual você pode se prender. Ela é grande. É redonda. E é pesada. Ela bloqueou a entrada de uma tumba. Mas não foi grande o suficiente. A tumba que ela lacrou era a tumba de um hóspede temporário. Ele só entrou lá para provar que poderia sair. E na saída, ele levou a pedra consigo e a transformou num ponto de ancoragem. Ele a jogou fundo nas águas desconhecidas da morte. Prenda-se a esta rocha e o tufão da tumba se torna uma brisa de primavera no domingo de Páscoa.

Eles são três. Três pontos de ancoragem. Os pontos de ancoragem da cruz.

SEIS HORAS DE UMA SEXTA-FEIRA

Havia alguma coisa na crucificação que fez cada testemunha ou ir ao encontro dela ou se afastar. Ela compeliu e, ao mesmo tempo, repeliu.

Hoje, dois mil anos depois, o mesmo continua sendo verdade. É o divisor de águas. É a linha divisória. É o dia DE você está de um lado ou de outro. Uma escolha é exigida. Podemos fazer o que quisermos com a cruz. Podemos examinar sua história. Podemos estudar sua teologia. Podemos refletir sobre suas profecias. Contudo, a única coisa que não podemos fazer é nos afastar em neutralidade. Não é permitido ficar em cima do muro. A cruz, em seu esplendor absurdo, não permite isso. É um luxo que Deus, em sua enorme misericórdia, não concede.

De que lado você está?

SEU NOME É SALVADOR

Aquele que não tem pecado assumiu o rosto de um pecador para que nós, pecadores, pudéssemos assumir a face de um santo.

ELE ESCOLHEU OS CRAVOS

Nosso mestre viveu uma vida tridimensional. Ele tinha uma visão do futuro tão clara quanto a que tinha do presente e do passado.

É por isso que as cordas usadas para prender suas mãos e os soldados usados para levá-lo para a cruz eram desnecessários. Eles foram secundários. Se não estivessem ali, se não houvesse julgamento, nem Pilatos ou a multidão, a mesma crucificação teria ocorrido. Se Jesus fosse forçado a pregar-se na cruz, ele o teria feito. Pois não foram os soldados que o mataram, nem os gritos da multidão. Foi sua devoção por nós.

Portanto, chame isso do que quiser: um ato de graça, um plano de redenção, o sacrifício de um mártir. Mas seja do que for que você chame, não chame de acidente. Foi tudo, menos isso.

DEUS CHEGOU MAIS PERTO

Oh, as mãos de Jesus. Mãos de encarnação em seu nascimento. Mãos de libertação quando curava. Mas de inspiração enquanto ensinava. Mãos de dedicação enquanto servia. E mãos de salvação quando ele morreu.

As pessoas junto à cruz concluíram que o propósito dos golpes era espetar as mãos de Cristo numa viga de madeira. Mas elas estavam apenas meio certas. Não podemos culpar a multidão por não perceber a outra metade. As pessoas não podiam ver. Mas Jesus podia. E o céu podia. E nós podemos.

Através dos olhos das Escrituras vemos o que os outros não perceberam, mas que Jesus viu. Ele "apagou as acusações confirmadas que havia contra vocês. Tomando essa lista de pecados, ele a destruiu, pregando-a na cruz de Cristo" (Cl 2.14, NBV).

Entre sua mão e a madeira havia uma lista. Uma longa lista. Uma lista de erros: nossos desejos, mentiras, momentos de ganância e anos de esbanjamento. Uma lista dos nossos pecados.

Pendurado na cruz existe um catálogo especificando cada pecado seu. As decisões ruins tomadas no ano passado. As más atitudes da semana passada. Ali, em plena luz do dia, para que todo o céu veja, está uma lista de seus erros.

Deus fez conosco o que estou fazendo com nossa casa. Ele tomou nota de nossas falhas. A lista que Deus fez, porém, não pode ser lida. As palavras não podem ser decifradas. Os erros estão cobertos. Os pecados estão escondidos. Os que estão no topo estão ocultos por sua mão; os que estão no final da lista estão cobertos por seu sangue. Seus pecados foram "riscados" por Jesus (veja a RC). "[Ele] apagou totalmente o registro dos mandamentos desrespeitados que sempre pairava sobre nossa cabeça, anulando-o completamente ao pregá-lo na cruz" (Cl 2.14, CH).

É por isso que ele se recusou a cerrar o punho. Ele viu a lista! O que o impediu de resistir? Esse registro, essa tabulação de seus erros. Ele sabia que o preço daqueles pecados era a morte. Ele sabia que a fonte daqueles pecados era você e, uma vez que não podia suportar a ideia da eternidade sem você, ele escolheu os cravos.

Ele sabia que o preço daqueles pecados era a morte. Ele sabia que a fonte daqueles pecados era você e, uma vez que não podia suportar a ideia da eternidade sem você, ele escolheu os cravos.

A mão que segurava o cabo não era a de um militar romano.

A força por trás do martelo não era a de uma multidão enfurecida.

O veredicto por trás da morte não foi decidido por judeus enciumados.

O próprio Jesus escolheu os cravos.

Desse modo, as mãos de Jesus se abriram. Se o soldado tivesse hesitado, o próprio Jesus teria manejado a marreta. Ele sabia como; ele tinha conhecimento de como colocar pregos. Como carpinteiro, ele sabia o que era preciso. E como Salvador, ele sabia o que aquilo significava. Ele sabia que o propósito do cravo era colocar os seus pecados onde eles pudessem ser escondidos pelo sacrifício dele e cobertos pelo sangue que ele derramou.

Assim, o próprio Jesus manejou o martelo.

A mesma mão que aquietou os mares silencia sua culpa.

A mesma mão que purificou o templo limpa o seu coração.

A mão é a mão de Deus.

O cravo é o cravo de Deus.

E assim que as mãos de Jesus se abriram para os cravos, as portas do céu se abriram para você.

Ele escolheu os cravos

Paulo disse: "Quanto a mim, não permita Deus que eu me gabe de coisa alguma, a não ser da cruz do nosso Senhor Jesus Cristo" (Gl 6.14, NBV). Você sente necessidade de afirmação? Sua autoestima precisa de atenção? Você não precisa citar nomes nem se mostrar. Você precisa apenas parar ao pé da cruz e ser lembrado disto: aquele que criou as estrelas preferiu morrer por você a viver sem você. E isso é um fato. Portanto, se você precisar se gabar, gabe-se disso.

Aliviando a bagagem

Encorajamento

DEUS SE IMPORTA E ESTÁ NO CONTROLE

Um menino foi a uma loja de animais à procura de um cachorrinho. O dono da loja mostrou-lhe uma ninhada dentro de uma caixa. O menino ficou olhando para os filhotes. Ele escolheu um, examinou-o e colocou-o de volta na caixa.

Depois de alguns minutos, ele voltou a falar com o dono e disse:

— Já escolhi um. Quanto vai me custar?

O homem disse o preço, e o menino prometeu voltar dali a alguns dias com o dinheiro.

— Não demore muito — alertou o dono da loja. — Filhotes como estes vendem rápido.

O menino se virou com um sorriso esperto:

— Não estou preocupado — disse ele. — O meu ainda estará aqui.

O menino foi trabalhar — arrancar mato de jardins, lavar janelas, limpar quintais. Ele trabalhou duro e guardou dinheiro. Quando tinha o bastante para comprar o filhote, voltou à loja.

Caminhou até o balcão e colocou um maço de notas. O dono da loja separou e contou o dinheiro. Depois de verificar a quantia, sorriu para o menino e disse:

— Tudo bem, filho, você pode pegar seu cachorrinho.

O menino colocou a mão no fundo da caixa e pegou um cachorro magro e com uma das patas aleijada, e foi saindo.

O dono da loja o interrompeu.

— Não pegue este filhote — opôs-se. — Ele é aleijado. Não pode brincar. Ele nunca vai correr com você. Ele não consegue ir buscar uma bola. Escolha um dos filhotes saudáveis.

— Não, obrigado, senhor — respondeu o menino. — Este é exatamente o tipo de cachorro que eu estava procurando.

Quando o menino ia saindo, o dono da loja começou a falar, mas parou. De repente, ele entendeu. Por baixo da calça do menino aparecia um aparelho — aparelho ortopédico para sua perna aleijada.

Por que o menino queria aquele cachorro? Porque sabia como ele se sentia. E o menino sabia que o cãozinho era bastante especial.

O que Jesus sabia que o levou a fazer o que fez? Ele sabia como as pessoas se sentiam, e sabia que elas eram muito especiais.

Espero que você nunca se esqueça disso.

> Quando você se empenha, ele presta atenção. Quando você clama, ele responde. Quando você questiona, ele ouve.

Jesus sabe como você se sente. Está pressionado no trabalho? Jesus sabe como você se sente. Tem mais coisas para fazer do que é humanamente possível? Ele também. Você tem filhos que transformam a hora do jantar no "ataque das piranhas"? Jesus sabe como é isso. As pessoas tiram mais de você do que dão? Jesus entende. Seus filhos adolescentes não ouvem o que você diz? Seus alunos não se motivam? Seus empregados o olham com desprezo quando você lhes dá tarefas? Acredite em mim, amigo, Jesus sabe como você se sente.

Você é precioso para ele. Tão precioso que ele se fez como você para que você viesse até ele.

Quando você se empenha, ele presta atenção. Quando você clama, ele responde. Quando você questiona, ele ouve. Ele está ao lado. Você já ouviu isso antes, mas precisa ouvir outra vez.

Ele entende você com a compaixão do menino aleijado.

E, como o menino, ele pagou um alto preço para levar você para casa.

UM DIA NA VIDA DE JESUS

Quando Cristo é grande, nossos medos são pequenos.

SEM MEDO DE VIVER

Como lidar com o desânimo? Qual é a cura para o desapontamento? Volte à história. Leia o texto de novo, várias vezes. Lembre-se de que você não é a primeira pessoa a chorar. E você não é a primeira pessoa a ser ajudada.

Leia a história e relembre, pois a história deles também é sua!

O desafio é grande demais? Leia a história. Lá está você, atravessando o Mar Vermelho junto com Moisés.

Tem muitas preocupações? Leia a história. Lá está você, recebendo comida do céu junto com os israelitas.

As feridas são profundas demais? Leia a história. Lá está você, José, perdoando seus irmãos por traí-lo.

Seus inimigos são muito poderosos? Leia a história. Lá está você marchando com Josafá rumo a uma batalha já ganha.

Seus desapontamentos são muito grandes? Leia a história dos discípulos a caminho de Emaús. O Salvador que eles consideravam estar morto agora caminhava junto deles. Entrou na casa deles e sentou-se à sua mesa. E alguma coisa aconteceu no coração deles. "Não estava queimando o nosso coração, enquanto ele nos falava no caminho e nos expunha as Escrituras?" (Lc 24.32).

Da próxima vez que você se sentir desapontado, não entre em pânico. Não desista. Apenas seja paciente e deixe Deus lembrá-lo de que ele ainda está no controle. O fim só chegará na hora determinada.

ELE AINDA REMOVE PEDRAS

Você tem um ingresso para o céu que nenhum ladrão pode roubar,
Um lar eterno que nenhum divórcio pode destruir.
Todos os pecados da sua vida foram lançados no mar.
Todos os erros que você cometeu estão pregados no madeiro.
Você foi comprado pelo sangue e se tornou celestial.
Um filho de Deus — salvo para sempre.
Portanto, seja grato e alegre — pois não é verdade?
O que você não tem é muito menor do que aquilo que possui.

APRENDA A COMPARTILHAR UM AMOR QUE VALE A PENA

Busque em primeiro lugar o reino da riqueza e você se preocupará com cada centavo. Busque em primeiro lugar o reino da saúde e você vai se afligirá com cada arranhão e cada pancada. Busque em primeiro lugar o reino da popularidade e você reviverá cada conflito. Busque em primeiro lugar o reino da segurança e você se assustará com cada galho que se quebra. Mas busque em primeiro lugar o reino dele, e você o encontrará. Nele podemos ser dependentes sem jamais nos preocupar.

SEM MEDO DE VIVER

Uma tempestade no Mar da Galileia era semelhante a um mergulho de barriga de um lutador de sumô numa piscina de crianças. O vale ao norte agia como um túnel de vento, comprimindo e esguichando rajadas na direção do lago. Ondas de três metros de altura eram comuns.

O relato se inicia com o cair da noite. Jesus está na montanha em oração e os discípulos estão no barco, com medo. "O barco já estava a considerável distância da terra, fustigado pelas ondas" (Mt 14.24). Em que momento Cristo vai até eles? Às três da manhã! (v. 25). Se a "noite" começava às seis da tarde e Cristo chegou a eles às três da manhã, os discípulos ficaram sozinhos na tempestade por nove horas! Nove horas tempestuosas. Tempo mais que suficiente para que mais de um discípulo perguntasse: "Onde está Jesus? Ele sabe que estamos no barco. Deus do céu, isso foi ideia dele. Será que Deus está por perto?".

E, de dentro da tempestade, surge uma voz inconfundível: "Eu sou".

Vestes molhadas, cabelo ensopado. Ondas batendo em sua cintura e chuva golpeando sua face. Jesus fala com eles imediatamente: "Coragem! Eu sou. Não temam!" (v. 27).[2]

Esse palavreado soa estranho, não é? Se você já leu a história, está acostumado a uma declaração diferente de Cristo. Algo como "Coragem! Sou eu. Não tenham medo!" (NVI),

"Calma! Sou eu. Não tenham medo" (AM) ou algo mais formal como "Tende bom ânimo! Sou eu. Não temais!" (RA).

Uma tradução literal daquele pronunciamento resulta em "Coragem! Eu sou. Não temam!". Os tradutores rearranjam suas palavras por razões óbvias. "Eu sou" soa truncado. "Estou aqui" ou "sou eu" parece mais completo. Mas o que Jesus gritou na tempestade foi simplesmente o magistral "Eu sou".

As palavras têm um som semelhante ao bater do prato na *Abertura 1812* [de Tchaikovsky]. Já as ouvimos antes.

Falando de uma sarça em chamas para um Moisés ajoelhado, Deus anunciou: "Eu Sou o que Sou" (Êx 3.14).

Desafiando seus inimigos e provando que eles estavam errados, Jesus declarou: "antes de Abraão nascer, Eu Sou!" (Jo 8.58).

Determinado a dizer com frequência regular o bastante e alto o suficiente para chamar nossa atenção, Cristo entoou:

- "Eu sou o pão da vida" (Jo 6.48).
- "Eu sou a luz do mundo" (Jo 8.12).
- "Eu sou a porta; quem entra por mim será salvo" (Jo 10.9).
- "Eu sou o bom pastor" (Jo 10.11).
- "Eu sou Filho de Deus" (Jo 10.36, NBV).
- "Eu sou a ressurreição e a vida" (Jo 11.25).
- "Eu sou o caminho, a verdade e a vida" (Jo 14.6).
- "Eu sou a videira verdadeira" (Jo 15.1).

O Cristo do presente do indicativo. Ele nunca diz "eu era". Nós dizemos. Dizemos porque *nós éramos*. Éramos mais jovens, mais rápidos, mais bonitos. Propensos a sermos pessoas do pretérito, nós falamos sobre o passado. Deus não. Imutável em força, ele nunca precisa dizer "eu era". Os céus não possuem espelho retrovisor.

Nem bolas de cristal. Nosso Deus "Eu sou" nunca suspira desejoso, dizendo "um dia eu serei".

De novo, nós dizemos. Empurrados pelos sonhos, procuramos horizontes. "Um dia eu serei...". Deus não. A água pode ser mais molhada? O vento pode não ventar? Deus pode ser mais Deus? Não. Ele não muda. Ele é o Deus "Eu sou". "Jesus Cristo é o mesmo, ontem, hoje e para sempre" (Hb 13.8).

> Deus pode ser mais Deus? Não. Ele não muda.

Do meio da tempestade, um Jesus inabalável grita "Eu sou". Firme na destruição das Torres. Ousado contra as ondas da Galileia. Na UTI, no campo de batalha, na sala da diretoria, na cela da prisão ou na enfermaria da maternidade — seja qual for a sua tempestade, "Eu sou".

O SALVADOR MORA AO LADO

Nunca é tarde demais para buscar o coração do Pai. Seu Deus é um Deus bom. Ele derramou sobre você qualidades para esta vida e a promessa da próxima. Você pode sair por aí mancando; ele não o deixará cair. Assuma um grande risco; ele não permitirá que você fracasse. Ele o convida a sonhar com o dia em que você sentirá a mão dele em seu ombro e os olhos dele em sua face. "Muito bem", ele dirá, "servo bom e fiel".

QUEBRANDO A ROTINA

A Bíblia diz que "Deus age em todas as coisas para o bem daqueles que o amam" (Rm 8.28). Faça este exercício simples.

Remova a expressão *em todas as coisas* e substitua pelo símbolo da sua tragédia.

Como seria Romanos 8.28 em sua vida?

Deus age *na internação no hospital* para o bem.

Deus age *no divórcio* para o bem.

Deus age *na pena de prisão* para o bem.

Por mais difícil que seja acreditar nisso, você poderia estar a apenas um sábado da ressurreição. Você poderia estar a apenas horas daquela oração preciosa de um coração transformado: "Deus, o Senhor fez isso por mim?".

ELE ESCOLHEU OS CRAVOS

ꕥ

Aquilo que eu e você poderíamos chamar de desastre absoluto, Deus pode considerar como um problema de nada que vai logo passar. Ele vê sua vida da maneira que você assiste a um filme depois de ter lido o livro. Quando algo ruim acontece, você sente como se o ar fosse sugado do cinema. Todas as demais pessoas engolem seco diante da crise que se apresenta na tela. Você não. Por quê? Você já leu o livro. Você sabe como o mocinho sai do aperto. Deus vê a sua vida com a mesma confiança. Ele não apenas leu a sua história... Ele a escreveu.

QUEM TEM SEDE VENHA

ꕥ

"Pois tudo o que foi escrito no passado, foi escrito para nos ensinar", escreveu Paulo, "de forma que, por meio da perseverança e do bom ânimo procedentes das Escrituras, mantenhamos a nossa esperança" (Rm 15.4).

Não se trata apenas de histórias da escola dominical. Não são fábulas românticas. Não são ilusões no final do arco-íris.

São momentos históricos, nos quais um Deus real conhece a dor real de modo a poder responder à pergunta "Onde Deus está quando sofro?".

Como Deus reage diante de esperanças frustradas? Leia a história de Jairo. Como o Pai se sente em relação àqueles que estão doentes? Fique em pé ao lado dele junto ao poço de Betesda. Você deseja que Deus fale ao seu coração solitário? Então ouça o que ele diz aos discípulos no caminho de Emaús. Qual é a palavra que Deus tem para aquele que se sente envergonhado? Olhe enquanto seu dedo escreve na areia do pátio em Jerusalém.

Ele não está fazendo isso apenas para aquelas pessoas. Está fazendo isso para mim. Está fazendo isso para você.

Isso nos leva à última pintura da galeria — a sua. Coloque-se diante das telas que têm o seu nome e faça o seu retrato.

O retrato não precisa ser feito numa tela com tinta. Pode estar num papel com lápis, num computador com palavras, numa escultura feita com barro, numa música com letra. Não importa como você vai fazer, mas é importante que o faça. Registre o seu drama. Conte a sua saga. Descreva sua jornada.

> O que importa é que você nunca se esqueça de como é a vida sem ele.

Comece com "antes". Como eram as coisas antes de você o conhecer? Você se lembra? Pode ter sido décadas atrás. Talvez tenha sido ontem. Talvez você já o conheça há tempos. Talvez tenha acabado de conhecê-lo. Repito que isso não importa. O que importa é que você nunca se esqueça de como é a vida sem ele.

Lembrar pode ser doloroso. Não é agradável visitar algumas partes do seu passado. Mas é necessário relembrar.

"Pensem no que vocês eram quando foram chamados" (1Co 1.26), instruiu Paulo. Nós, os adotados, não podemos nos esquecer de como era nossa vida de órfãos. Nós, os libertos, devemos revisitar a prisão. Nós, os achados, não podemos nos esquecer do desespero de estar perdido.

A amnésia estimula a arrogância. Não podemos nos dar ao luxo de esquecer. Precisamos nos lembrar.

Também precisamos compartilhar nossa história. Não necessariamente com todo mundo, mas com alguém. Existe alguém por aí que é como você era. E essa pessoa precisa saber o que Deus pode fazer. Seu retrato honesto do passado pode ser a coragem para o futuro de outra pessoa.

Mas não apresente apenas o passado; retrate o presente. Descreva o toque dele. Mostre a diferença que ele fez em sua vida. Essa tarefa também apresenta seus desafios. Ao mesmo tempo em que pintar o "antes" pode ser doloroso, pintar o "presente" pode não ser muito claro. Ele ainda não concluiu a sua obra!

Seu retrato honesto do passado pode ser a coragem para o futuro de outra pessoa.

Ah, mas veja como você já chegou longe! Nem sequer o conheço, mas sei que você já trilhou um longo caminho. Deus iniciou uma obra em seu coração. E aquilo que Deus começa, Deus termina. "Estou convencido de que aquele que começou boa obra em vocês, vai completá-la até o dia de Cristo Jesus." (Fp 1.6).

Portanto, faça uma crônica daquilo que Cristo já fez. Se ele trouxe paz, desenhe uma pomba. Se lhe trouxe alegria, pinte um arco-íris numa parede. Se foi coragem, cante uma canção sobre montanhas removidas. E, quando você tiver acabado, não esconda sua obra. Coloque-a num lugar onde possa vê-la. Coloque-a num lugar onde, diariamente, você seja lembrado do terno poder do Pai.

Quando todos nós chegarmos ao céu, montaremos uma enorme galeria.

Esta é minha ideia. Sei que pode ser maluca, mas e se, quando todos nós chegarmos ao lar, fizermos uma galeria? Não sei se algo assim é permitido no céu. Mas algo me diz que o Pai não vai se importar. Afinal de contas, há espaço de sobra e muito tempo disponível.

Isso é que é um quebra-gelo! Que maneira de fazer amigos! Você é capaz de imaginar? Lá está Jonas, com uma baleia imensa. Moisés diante de um arbusto em chamas. Davi dando lições de estilingue. Gideão deixa que as pessoas toquem a lã — *a* lã — e Abraão descreve uma pintura cujo nome é "A noite das mil estrelas".

Você pode se sentar ao lado de Zaqueu em sua árvore. Um rapaz lhe mostra um cesto com cinco pães e dois peixes. Marta o saúda em sua cozinha. O centurião o convida a tocar a cruz.

Lá está Martinho Lutero com o livro de Romanos. Susana Wesley conta como orou pelos filhos Charles e John. Dwight Moody fala do dia em que largou a sapataria para pregar. E John Newton faz um solo da música "Amazing Grace" acompanhado por um coro angelical.

Alguns são famosos, a maioria não é — mas todos são heróis. Um soldado deixa que você entre numa trincheira escavada de modo a relembrar aquela na qual ele encontrou Cristo. Uma dona de casa mostra seu Novo Testamento manchado de lágrimas. Ao lado de um nigeriano está o missionário que o ensinou. E atrás do brasileiro, está o desenho do rio no qual ele foi batizado.

Em algum lugar no meio dessa arena de esperança está a sua história. Cada vez mais pessoas estão chegando. Elas ouvem como se tivessem todo o tempo do mundo (e na verdade têm!). Você é tratado como se fosse da realeza (o que você de fato é!). Salomão lhe faz perguntas. Jó elogia a sua perseverança. Josué exalta a sua coragem. E quando todos eles aplaudem, você aplaude também. Porque, no céu, todos sabem que todo louvor vai para uma única fonte.

E, por falar na fonte, ele também está representado na galeria celestial. Vire-se e dê uma olhada. Bem acima dos outros. No lugar de maior destaque. Exatamente no meio. Ali está um quadro bem no alto, colocado numa plataforma acima de todos os outros. Visível de qualquer ponto da galeria está uma enorme pedra. Ela é redonda. É pesada. Um dia, ela serviu para fechar a abertura de um sepulcro.

Mas não serve mais para isso. Pergunte a Maria e a Maria. Pergunte a Pedro. Pergunte a Lázaro. Pergunte a qualquer um naquela galeria. Todos eles vão lhe dizer. As pedras nunca foram páreo para Deus.

> Ele vem ao seu mundo. Vem para fazer aquilo que você não consegue.

Será que vai existir uma galeria como essa no céu? Quem sabe? Mas o que de fato sei é que já houve uma pedra na frente de um sepulcro. Também sei que ela foi removida. E também estou ciente de que há pedras em seu caminho. Pedras que fazem tropeçar e pedras que prendem. Pedras grandes demais para você.

Ele vem ao seu mundo. Vem para fazer aquilo que você não consegue. Vem para remover as pedras que você não é capaz de mover.

As pedras não são páreo para Deus. Não eram antes e não são agora. Ele ainda remove pedras.

Ele ainda remove pedras

Evangelismo

Esperança para o coração que busca

Havia uma mulher numa pequena comunidade de Arkansas que era mãe solteira de um bebê doente. Sua vizinha a visitava de vez em quando e cuidava da criança para que ela fosse às compras. Depois de algumas semanas, sua vizinha compartilhou mais do que tempo; ela compartilhou sua fé, e a mulher fez o que Mateus fez. Ela seguiu a Cristo.

Os amigos da jovem mãe se opuseram.

— Você sabe o que essas pessoas ensinam? — contestaram eles.

— O que eu sei é o seguinte: elas cuidam do meu filho — ela lhes disse.

Creio que Jesus gosta desse tipo de resposta, você não acha? (Agradeço a Landon Saunders[3] por me contar essa história.)

O Salvador mora ao lado

ꟃ

Você já ouviu a voz sussurrando seu nome, não é? Sentiu a indicação para ir e percebeu o desejo de falar. Isso já aconteceu com você?

Você convida um casal para tomar café. Nada de mais, apenas uma noite agradável com velhos amigos. Mas a partir do momento em que eles entram, você é capaz de sentir a tensão. Eles estão mais frios que uma geleira. Você percebe que algo está errado. Normalmente você não é de perguntar, mas sente uma inquietação que não quer calar. Então, você pergunta.

Você está numa reunião de negócios na qual um de seus colegas de trabalho recebe uma repreensão bastante dura. Todas as demais pessoas estão pensando: "Ainda bem que não foi comigo". Mas o Espírito Santo o está levando a pensar: "Como isso deve ser duro". Assim, depois da reunião, você se aproxima daquele funcionário e expressa sua preocupação.

Você nota o rapaz do outro lado da igreja. Ele parece um pouco deslocado, por conta da roupa diferente e tudo mais. Você descobre que ele é da África e que está na cidade a negócios. No domingo seguinte, ele retorna. E está presente no terceiro domingo. Você se apresenta. Ele lhe diz como se sente fascinado pela fé e como deseja aprender mais. Em vez de se oferecer para ensiná-lo, você simplesmente o estimula para que leia a Bíblia.

Alguns dias depois, você se arrepende de não ter sido mais direto. Você liga para o escritório onde ele está fazendo consultoria e descobre que ele está voltando para casa hoje. Você sente no seu coração que não pode deixá-lo partir. Então, corre para o aeroporto e o encontra esperando o voo com uma Bíblia aberta no colo.

— Você entende o que está lendo? — você pergunta.

"Você entende o que está lendo?", você pergunta.

— Como poderei entender se alguém não me explicar?

E você, tal como Filipe, explica. E ele, tal como o etíope, crê. O batismo é requerido, e o batismo é oferecido. Ele pega um voo mais tarde e você tem uma ideia do que significa ser conduzido pelo Espírito.

"Como poderei entender se alguém não me explicar?"

Houve luzes? Você acabou de acender uma. Houve vozes? Você foi uma. Houve um milagre? Você testemunhou um. Quem sabe? Se a Bíblia estivesse sendo escrita hoje, talvez seu nome aparecesse no capítulo oito de Atos.

QUANDO DEUS SUSSURRA O SEU NOME

Há muito tempo, ou talvez há não tanto tempo assim, havia uma tribo numa caverna escura e fria.

Os habitantes da caverna se juntavam e se queixavam do frio. Era tudo o que eles faziam. Era tudo o que eles sabiam fazer. Os sons da caverna eram soturnos, mas as pessoas não sabiam disso, pois não conheciam a alegria. O espírito da caverna era a morte, mas as pessoas não sabiam disso, pois não conheciam a vida.

Então, certo dia, eles ouviram uma voz diferente.

— Ouvi suas reclamações — anunciou a voz. — Senti o frio de vocês e vi a escuridão em que se encontram. Vim para ajudar.

Os habitantes da caverna ficaram quietos. Nunca ouviram aquela voz antes. Esperança era algo que soava estranho aos seus ouvidos.

— Como podemos saber que você veio para ajudar?

— Confiem em mim — ele respondeu. — Tenho o que vocês precisam.

O povo da caverna olhou através da escuridão para a silhueta do estranho. Ele estava empilhando alguma coisa, depois se inclinava e então empilhava mais.

— O que você está fazendo? — perguntou um deles, nervoso.

O estranho não respondeu.

— O que você está construindo — gritou outro, ainda mais alto.

Nenhuma resposta.

— Diga-nos! — exigiu outro.

O visitante se levantou e falou na direção das vozes.

— Eu tenho o que vocês precisam.

Ao dizer isso, virou-se para a pilha aos seus pés e colocou fogo nela. A madeira se incendiou, as chamas surgiram e a luz encheu a caverna.

O povo da caverna se afastou com medo.

— Apague isso! — gritaram eles. — Olhar para isso nos machuca.

— A luz sempre machuca antes de ajudar — respondeu ele. — Cheguem mais perto. A dor vai logo passar.

— Eu não vou — declarou uma voz.

— Nem eu — disse uma segunda.

— Só um tolo se arriscaria a expor os olhos a essa luz.

O estranho permaneceu em pé ao lado do fogo.

— Vocês preferem as trevas? Preferem ficar no frio? Não levem em conta os seus medos. Deem um passo de fé.

Durante um longo tempo, ninguém falou. As pessoas ficaram em grupos, cobrindo os olhos. Aquele que fez o fogo permaneceu próximo a ele.

— Está quente aqui — convidou ele.

— Ele está certo — alguém lá de trás anunciou. — Está mais quente.

O estranho se virou e viu um vulto se aproximando lentamente do fogo.

— Já consigo abrir meus olhos agora — disse ela. — Eu posso ver.

— Chegue mais perto — convidou o criador do fogo.

Ela se aproximou. Aproximou-se do anel de fogo.

— É tão quente!

Ela estendeu as mãos e suspirou enquanto o frio que sentia começava a passar.

— Venham todos! Sintam o calor — ela convidou.

— Silêncio, mulher! — gritou um dos habitantes da caverna. — Como ousa nos levar para sua loucura? Deixe-nos em paz. Deixe-nos e leve sua luz com você.

Ela se voltou para o estranho e perguntou:

— Por que eles não vêm?

— Eles escolheram o frio, pois, ainda que seja frio, é o que eles conhecem. Eles preferem ficar no frio a mudar.

— E viver nas trevas?

— E viver nas trevas.

A mulher, agora aquecida, permaneceu em silêncio, olhando primeiro para a escuridão e depois para o homem.

— Você vai abandonar o fogo? — perguntou ele.

Ela fez uma pausa e então respondeu:

— Não posso. Não suporto o frio.

Então falou outra vez:

— Mas também não consigo suportar a ideia de ver meu povo na escuridão.

> Diga-lhes que a luz é para todo aquele que a deseja.

— Não precisa ser assim — respondeu ele, aproximando-se do fogo e retirando uma vareta.

— Leve isso ao seu povo. Diga às pessoas que a luz está aqui, e que a luz é quente. Diga-lhes que a luz é para todo aquele que a deseja.

E, assim, ela levou a pequena chama e caminhou na direção das sombras.

Ouvindo Deus na tormenta

ꙮ

Se o objetivo de Deus é a salvação do mundo, então meu objetivo deve ser o mesmo. Os detalhes vão diferir de pessoa para pessoa, mas o quadro geral será idêntico para todos nós. "Somos representantes de Cristo. Deus nos usa para persuadir homens e mulheres" (2Co 5.20, AM). Independentemente do que você não saiba sobre seu futuro, uma coisa é certa: você está destinado a contribuir para o bom plano de Deus, a contar aos outros sobre o Deus que os ama e que deseja levá-los para o lar.

Simplesmente como Jesus

ꙮ

Querido amigo

Escrevo para lhe dizer obrigado. Gostaria de poder agradecer-lhe pessoalmente, mas não sei onde você está. Gostaria de poder telefonar, mas não sei o seu nome. Se soubesse qual é a sua aparência, eu o procuraria, mas sua face está confusa na minha memória. Mas jamais esquecerei o que você fez.

Lá estava você, encostado em sua picape no campo petrolífero West Texas. Um engenheiro de alguma coisa. Um supervisor. Sua calça cáqui e sua camisa limpa o diferenciavam de nós, trabalhadores braçais. Na ordem hierárquica, estávamos no grau mais baixo. Você era o chefe. Nós, os trabalhadores. Você lia as plantas. Nós cavávamos os buracos. Você inspecionava os tubos. Nós os montávamos. Você comia com os chefes no galpão. Nós comíamos uns com os outros debaixo de alguma sombra.

Exceto naquele dia.

Lembro-me de pensar na razão de você ter feito aquilo.

Não havia nada de interessante para ver em nós. O que não estava suado estava lambuzado de óleo. Rostos queimados do sol, pele preta de graxa. Mas isso não me perturbava. Eu ficaria ali apenas durante o verão. Um rapaz do ensino médio, ganhando um bom dinheiro para montar tubos. Para mim, era um trabalho de verão. Para os outros, um modo de vida. A maioria era composta de imigrantes ilegais vindos do México. Outros eram andarilhos, vagando pela pradaria como arbustos secos jogados pelo vento.

Também não havia muita razão para nos dar ouvidos. Nossa linguagem era áspera como lixa. Depois do almoço acendíamos um cigarro e começávamos a contar piadas. Alguém sempre tinha um baralho com fotos de moças em roupas rendadas no verso. Por trinta minutos, na hora mais quente do dia, o poço de petróleo se tornava Las Vegas — cheia de palavrões, histórias sujas, jogo de cartas e banquetas de bar que serviam de mesa.

No meio daquele jogo, você se aproximou. Achei que tinha um trabalho para nós que não poderia esperar mais alguns minutos. Tal como os outros, murmurei quando o vi chegando.

Você estava nervoso. Mudava o pé de apoio de um lado para outro quando começou a falar.

"Bom, pessoal", você começou.

Nós nos viramos e olhamos para você.

"Eu, bem, queria só, bem, convidar..."

Você estava fora de sua zona de conforto. Eu não fazia ideia do que você estava prestes a dizer, mas sabia que não tinha nada a ver com trabalho.

"Só queria dizer a vocês que, bem, nossa igreja vai fazer um culto hoje à noite e, bem..."

"O quê?" Não pude acreditar. "Ele está falando de igreja? Bem aqui? Com a gente?"

"Eu queria convidar todos vocês a comparecer."

Silêncio. Silêncio ensurdecedor. O mesmo silêncio que você ouviria se uma freira perguntasse à dona de um bordel se poderia usar as instalações de seu estabelecimento para uma missa. O mesmo silêncio que você ouviria se um fiscal da Receita Federal convidasse a máfia para um seminário sobre integridade nos impostos.

Vários rapazes olharam para o chão. Alguns olharam para os outros. Sorrisos abafados esboçaram-se em alguns rostos.

"Bem, é isso. Ah, se algum de vocês quiser ir... bem, me avise."

Depois que você se virou e saiu, nós nos viramos e rimos. Chamamos você de *reverendo*, *pregador* e *papa*. Zombamos uns dos outros, desafiando o colega a ir. Você se tornou o alvo das piadas do dia.

Tenho certeza de que você sabia disso. Tenho certeza de que você voltou para a sua picape ciente de que o único bem que havia feito fora fazer a si mesmo de bobo. Se foi isso o que você pensou, então você estava errado.

Esta é a razão desta carta.

Pensei em você nesta semana. Pensei em você quando li sobre outra pessoa que correu riscos na hora do almoço. Pensei em você quando li a história de um menino que entregou seu lanche a Jesus (Jo 6.1-14).

Seu lanche não era grande. De fato, não era nada comparado ao que era necessário para mais de cinco mil pessoas.

Ele provavelmente se debateu com a tolice de tudo aquilo. O que era um lanche individual para tantas pessoas? Ele provavelmente perguntou a si mesmo se até mesmo o esforço valia a pena.

Até onde poderia ir um lanche?

Creio que é por isso que ele não deu o lanche para a multidão. Em vez disso, entregou-o a Jesus. Alguma coisa lhe dizia que se ele plantasse a semente, Deus garantiria a colheita.

Alguma coisa lhe dizia que se ele plantasse a semente, Deus garantiria a colheita.

Foi isso o que ele fez.

Criou coragem, levantou-se da grama e foi para a rodinha dos adultos. Ele estava deslocado naquele ambiente, assim como você no nosso. Ele devia estar nervoso. Ninguém gosta de parecer bobo.

Alguém provavelmente zombou dele também.

Se não zombaram, devem ter balançado a cabeça. "Esse rapazinho não sabe de nada."

Se não balançaram a cabeça, provavelmente reviraram os olhos. "Temos uma crise de alimentação aqui e esse menino acha que um lanche individual poderá resolvê-la."

Mas o menino não viu as cabeças ou os olhos; ele viu apenas Jesus.

Você também deve ter visto Jesus quando tomou sua decisão. A maioria das pessoas teria nos considerado material improvável para um pastor. A maioria teria reservado suas sementes para solo mais macio. E estariam quase certas. Mas Jesus disse para dar, e você deu.

Quando penso nisso, percebo que você e o menino têm muita coisa em comum.

- Vocês dois usaram o lanche para ajudar outros.
- Vocês dois optaram pela fé acima da lógica.
- Vocês dois colocaram um sorriso na face do Pai.

Existe, porém, uma diferença. O menino pôde ver o que Jesus fez com seu presente, e você não. É por isso que estou escrevendo. Quero que você saiba que pelo menos uma das sementes caiu numa fenda fértil.

> Mas Jesus disse para dar, e você deu.

Cerca de cinco anos depois, um estudante universitário estava enfrentando dificuldades com uma decisão. Ele se afastara da fé que lhe fora apresentada por seus pais. Ele queria retornar. Queria voltar para casa. Mas o preço era alto. Seus amigos poderiam rir. Seus hábitos teriam de mudar. Sua reputação teria de ser superada.

Será que ele conseguiria fazer aquilo? Teria ele a coragem necessária?

Foi então que pensei em você. Enquanto estava sentado no meu dormitório, tarde da noite, procurando coragem para fazer o que eu sabia ser o certo, pensei em você.

Pensei em como seu amor por Deus foi maior do que o amor que tinha por sua reputação.

Pensei em como sua obediência foi maior do que seu bom senso.

Lembrei-me de como você se importou mais em fazer discípulos do que em causar uma boa primeira impressão. E quando pensei em você, essa lembrança tornou-se minha motivação.

Então, voltei para casa.

Já contei sua história dezenas de vezes a milhares de pessoas. Todas as vezes a reação é a mesma: a plateia se torna um mar de sorrisos e cabeças se inclinam em compreensão. Alguns sorriem porque se lembram dos engenheiros de camisa limpa de suas vidas. Lembram-se do vizinho que trouxe o bolo, da tia que escreveu a carta, da professora que escutou...

> Lembrei-me de como você se importou mais em fazer discípulos do que em causar uma boa primeira impressão.

Outros sorriem porque fizeram o que você fez. E eles também se perguntam se sua lealdade de hora de almoço valeu o esforço.

Você pensou nisso. O que você fez naquele dia não foi muito. E tenho certeza de que você saiu naquele dia pensando que seus esforços haviam sido desperdiçados.

Não foram.

Portanto, estou escrevendo para dizer obrigado. Obrigado pelo exemplo. Obrigado pela coragem. Obrigado por entregar seu lanche para Deus. Ele fez alguma coisa com aquilo; aquele almoço se tornou o Pão da Vida para mim.

Com gratidão,

Max

P.S. Se por alguma notável coincidência você ler isto e se lembrar daquele dia, por favor, ligue para mim. Eu lhe devo um almoço.

Um dia na vida de Jesus

Fé

Um pressentimento louco, uma forte esperança

"Se eu tão somente tocar em seu manto", pensa ela, "ficarei curada" (Mc 5.28).

Decisão arriscada. Para tocá-lo, ela teria de tocar as pessoas. Se uma delas a reconhecesse... alô, repreensão; adeus, cura. Mas que opções estavam disponíveis? Ela não tinha dinheiro, nem influência, nem amigos, nem soluções. Tudo o que possuía era um pressentimento louco de que Jesus podia ajudá-la, além de uma forte esperança de que ele o faria.

Talvez essas sejam as únicas coisas que você tem: um pressentimento louco e uma forte esperança. Você não tem nada para dar, mas está sofrendo. E a única coisa que você tem a lhe oferecer é o seu sofrimento.

Talvez isso tenha impedido você de se achegar a Deus. Ah, você já deu um ou dois passos na direção dele. Mas, então, viu as outras pessoas ao redor. Elas pareciam tão limpas, tão asseadas, tão arrumadas e tão saudáveis em sua fé. Quando as viu, elas bloquearam a visão que você tinha dele. Foi aí que você deu um passo para trás.

Se isso o descreve, perceba que apenas uma pessoa foi elogiada naquele dia por ter fé. Não foi um filantropo rico. Não foi um seguidor leal. Não foi um mestre aclamado. Foi uma pessoa proscrita e pobre que se agarrou ao pressentimento de que ele poderia e à esperança de que ele faria.

Isto tudo, aliás, não é uma definição ruim de fé: *uma convicção de que ele pode e uma esperança de que ele fará.* Essa definição de fé se assemelha bastante àquela apresentada na Bíblia: "Sem fé é impossível agradar a Deus, pois quem dele se aproxima precisa crer que ele existe e que recompensa aqueles que o buscam" (Hb 11.6).

Não é assim tão complicado, não é? Fé é crer que Deus é real e que Deus é bom. A fé não é uma experiência mística, uma visão no meio da noite ou uma voz na floresta. É uma opção de acreditar que aquele que fez todas as coisas não as abandonou, que ele ainda manda luz para o meio das trevas e que reage positivamente a atitudes de fé.

> Fé é crer que Deus é real e que Deus é bom.

Não havia nenhuma garantia. Ela esperava que ele fosse responder, ela desejava que isso acontecesse, mas não sabia se ele agiria assim. Tudo o que ela sabia era que ele estava ali e que era bom. Isso é fé.

Fé não é crer que Deus vai fazer aquilo que você quer. Fé é crer que Deus vai fazer o que é certo.

Ele ainda remove pedras

Alimente seus medos, e sua fé morrerá de fome. Alimente sua fé, e seus medos é que morrerão.

Sem medo de viver

Fé no futuro gera poder no presente.

Quando Deus sussurra o seu nome

Não importa se ele nasceu paralítico ou se ficou paralítico; o resultado final era o mesmo: dependência total dos outros. Era preciso que alguém lavasse seu rosto e banhasse seu corpo. Ele não podia assoar o nariz nem sair para caminhar. Só conseguia correr em sonhos e, ao acordar, sempre se via diante de um corpo que não podia se virar e que não conseguia voltar a dormir, tamanha era a dor que o pesadelo lhe trazia.

"O que ele precisa é de um corpo novo", diria qualquer pessoa com um mínimo de inteligência. O que ele precisava era de um Deus no céu que pudesse restaurar aquilo que a tragédia havia roubado: braços que se movessem, mãos que apertassem e pés que dançassem.

Quando olhavam para ele, as pessoas não viam o homem; viam um corpo necessitado de um milagre. Não era isso que Jesus via, mas sim o que as pessoas viam. Seus amigos com certeza enxergavam a mesma coisa. Então, eles fizeram o que qualquer um de nós faria por um amigo. Tentaram conseguir algum tipo de ajuda para ele.

Corria entre as pessoas a notícia de que um carpinteiro feito mestre e operador de maravilhas estava na cidade. À medida que a notícia se espalhava, as pessoas começaram a chegar. Vinham de todos os cantos de Israel. Vinham como soldados que voltavam da guerra — envoltas em ataduras, aleijadas, sem visão. Velhos com pele enrugada e boca sem dentes. Jovens com bebês surdos e corações partidos. Pais com filhos que não podiam falar. Esposas com ventres incapazes de gerar filhos. Ao que parecia, o mundo inteiro viera para saber se ele era real, se era justo, ou as duas coisas.

Quando os amigos chegaram ao lugar onde estava, a casa estava cheia. As pessoas estavam espremidas junto às portas.

Crianças sentadas nas janelas. Alguns só conseguiam enxergar alguma coisa por entre os ombros da multidão. Como aquele pequeno grupo de amigos conseguiria chamar a atenção de Jesus? Era preciso fazer uma escolha: vamos entrar ou desistir?

O que teria acontecido caso os amigos tivessem desistido? E se eles tivessem dado de ombros e resmungado algo sobre a quantidade de gente e o jantar esfriando e simplesmente virado as costas e saído? Afinal de contas, já haviam feito muito só de terem chegado até aquele ponto. Quem poderia culpá-los por virar as costas? São poucas as pessoas que fazem algo assim. Mas aqueles amigos queriam fazer mais.

Um dos amigos disse ter uma ideia. Os quatro se reuniram em volta do paralítico para ouvir sobre o plano de subir até o telhado da casa, abrir o teto e baixar o amigo usando cordas.

> A fé faz o que é inesperado. E a fé chama a atenção de Deus.

Era arriscado — eles poderiam cair. Era perigoso — *ele* poderia cair. Era incomum — destelhar uma casa era um comportamento antissocial. Era invasivo — Jesus estava ocupado. Mas era a única chance que tinham de ver Jesus. Então eles subiram no telhado.

A fé faz dessas coisas. A fé faz o que é inesperado. E a fé chama a atenção de Deus. Veja o que Marcos diz: "Vendo a fé que eles tinham, Jesus disse ao paralítico: 'Filho, os seus pecados estão perdoados'" (2.5).

Finalmente alguém levou a sério o que Jesus disse! Quatro homens tiveram suficiente esperança nele e suficiente amor por seu amigo a ponto de se arriscarem. A maca que desceu do alto foi um sinal do alto: alguém acredita! Havia alguém disposto a correr o risco de ser envergonhado e de se ferir em troca de alguns poucos instantes com o Galileu.

Jesus foi tocado por aquela cena de fé. Então, ele aplaude — senão com as mãos, com seu coração. E ele não apenas aplaude, mas abençoa. E nós testemunhamos uma "explosão de amor".

Os amigos queriam que ele curasse seu companheiro. Mas Jesus não se contenta em simplesmente curar o corpo — ele também quer curar a alma. Ele deixa o físico de lado e trabalha com o espiritual. A cura do corpo é temporal; a cura da alma é eterna.

> Jesus não se contenta em simplesmente curar o corpo — ele também quer curar a alma.

Ainda que seja válido, o pedido dos amigos é tímido. Ainda que altas, as expectativas da multidão não são suficientes. Todos esperam que Jesus diga: "Eu curo você". Em vez disso, ele diz: "Eu perdoo você".

Esperam que ele trate corpo, pois era isso o que conseguem ver.

Jesus opta por tratar não apenas o corpo, mas também o espiritual, pois é isso o que ele vê.

Eles querem que Jesus dê ao homem um novo corpo capaz de andar. Jesus lhe dá graça, de modo que possa viver.

Notável. Às vezes Deus é tão tocado por aquilo que ele vê que nos dá aquilo de que precisamos, e não apenas aquilo que pedimos.

Isso é muito bom. Quem poderia ao menos pensar em pedir a Deus aquilo que ele nos dá? Qual de nós ousaria fazer esta oração: "Deus, peço que o Senhor se pendure num instrumento de tortura em substituição por todos os erros que cometi"? Quem teria a audácia de, além disso, dizer: "E, depois de me perdoar, o Senhor poderia preparar um lugar na sua casa para que eu viva para sempre?"?

Para ir mais adiante ainda, dizer isto: "Deus, o Senhor poderia viver dentro de mim, me proteger, me guiar e me abençoar com muito mais coisas do que eu mereço?".

Sinceramente, será que teríamos a audácia de fazer um pedido assim? Não. Tal como os amigos, pediríamos apenas as coisas pequenas.

Pediríamos coisas pequenas como uma vida longa, um corpo saudável e um bom emprego. Da nossa perspectiva, esses são grandes pedidos; da perspectiva de Deus, porém, isso equivale a pedir uma bicicleta quando ele nos oferece uma limusine.

Assim, ciente de que o paralítico não tinha conhecimento suficiente para pedir aquilo de que realmente precisava, Jesus concede mesmo assim: "Filho, os seus pecados estão perdoados" (Mc 2.5).

Os fariseus começaram a resmungar. Isso não é *kosher*. Até mesmo um judeu de pouca idade sabia que somente Deus podia perdoar pecados (v.7).

A murmuração deles produz uma das maiores perguntas de Cristo: "Que é mais fácil dizer ao paralítico: Os seus pecados estão perdoados, ou: Levante-se, pegue a sua maca e ande?" (v.9).

Você mesmo deve responder a essa pergunta. O que é mais fácil para Jesus? Perdoar uma alma ou curar um corpo? O que causou menos dor a Jesus: dar saúde àquele homem ou dar a ele o céu?

Curar o corpo do homem exigiu uma ordem simples; perdoar os pecados do homem exigiu o sangue de Jesus. O primeiro foi realizado na casa de amigos; o segundo aconteceu numa colina entre ladrões. Um ato exigiu apenas palavras; o outro exigiu seu corpo. Um exigiu apenas um momento; o outro, a sua vida.

Qual deles foi mais fácil?

Tão profundo foi seu amor por aquele grupo de fé que ele foi além do que pediram e caminhou direto até a cruz.

ELE AINDA REMOVE PEDRAS

Sento-me a poucos metros de um homem no corredor da morte. Judeu por nascimento. Construtor de tendas por profissão. Apóstolo por chamado. Seus dias estão contados. Fico curioso para saber o que sustenta esse homem à medida que ele se aproxima de sua execução. Assim, faço algumas perguntas.

— Você tem família, Paulo?

— Não tenho ninguém.

— Como vai sua saúde?

— Meu corpo está ferido e cansado.

— O que você possui?

— Tenho meus pergaminhos. Minha pena. Uma capa.

— E quanto à sua reputação?

— Bem, não é das melhores. Sou herege para alguns, desertor para outros.

— Você tem amigos?

— Tenho, mas até mesmo alguns deles me viraram as costas.

— Algum prêmio?

— Aqui na terra, não.

— Então, o que você possui, Paulo? Nenhum pertence. Nenhum familiar. Criticado por alguns, zombado por outros. O que você possui, Paulo? O que você tem de importante?

Sento-me em silêncio e assisto. Paulo cerra o punho. Ele olha para sua mão. Eu olho também. O que ele está segurando? O que ele tem ali?

Ele estende a mão para que eu possa ver. Enquanto me inclino para frente, ele abre os dedos. Olho para a palma de sua mão. Está vazia.

— Tenho a minha fé. É tudo que tenho. Mas é tudo de que preciso. Guardei a fé.

Paulo se inclina para trás, contra a parede da cela, e sorri. E eu me encosto na outra parede e olho para o rosto de um homem que aprendeu que existem mais coisas na vida do que os olhos podem ver.

Pois a fé é exatamente isso. Fé é confiar naquilo que os olhos não podem ver.

> Fé é confiar naquilo que os olhos não podem ver.

Os olhos veem o leão à espreita. A fé vê o anjo de Daniel.

Os olhos veem tempestades. A fé vê o arco-íris de Noé.

Os olhos veem gigantes. A fé vê Canaã.

Seus olhos veem seus erros. Sua fé vê seu Salvador.

Seus olhos veem sua culpa. Sua fé vê o sangue dele.

Seus olhos veem sua sepultura. Sua fé vê uma cidade cujo arquiteto e edificador é Deus.

Seus olhos olham para o espelho e veem um pecador, um fracassado, alguém que não cumpre o que promete. Mas, pela fé, você olha no espelho e vê um pródigo vestido com roupas de festa, usando o anel da graça no dedo e recebendo o beijo do Pai no rosto.

Quando Deus sussurra o seu nome

Faça algo que demonstre fé. Pois a fé sem esforço não é de modo algum fé. Deus responderá. Ele nunca rejeitou um gesto genuíno de fé. Nunca.

Deus honra a fé radical que assume riscos.

Ele ainda remove pedras

Como você preencheria este espaço?

Uma pessoa é justificada perante Deus por ____________.

Declaração simples. Contudo, não deixe que sua brevidade o engane. A maneira como você completa a frase é fundamental; ela reflete a natureza da sua fé.

Uma pessoa é justificada perante Deus por...

Ser boa. Uma pessoa se acerta com Deus através da bondade. Pague seus impostos. Dê comida aos pobres. Não dirija muito rápido, não beba muito, não beba nada. Conduta cristã — esse é o segredo.

Sofrer. Aqui está a resposta. Esse é o jeito de se justificar perante Deus: sofrer. Durma no chão sujo. Caminhe por florestas úmidas. Malária. Pobreza. Dias frios. Vigílias durante toda a noite. Votos de castidade. Cabeças raspadas, pés descalços. Quanto maior a dor, maior o santo.

Não, não, não. Como se justificar perante Deus? Doutrina. Interpretação hiperfundamentalista. Teologia hermética capaz de explicar cada mistério. Milênio simplificado. Inspiração esclarecida. Papel da mulher definido de uma vez por todas. Deus tem de nos salvar — sabemos mais do que ele.

Como nos justificamos perante Deus? Todas as opções apresentadas acima já foram testadas. Todas foram ensinadas. Todas foram demonstradas. Mas nenhuma delas vem de Deus.

De fato, esse é o problema. Nenhuma delas vem de Deus. Todas elas vêm de pessoas. Pense nisto. Quem é a maior força nos exemplos acima? Humanidade ou Deus? Quem é que salva, você ou ele?

Se somos salvos por boas obras, não precisamos de Deus — lembretes semanais do que fazer e do que não fazer vão nos levar ao céu. Se somos salvos pelo sofrimento, certamente não precisamos de Deus. Tudo o que precisamos é de um chicote e uma corrente, e o evangelho da culpa. Se somos salvos pela doutrina, pelo amor de Deus, vamos estudar! Não precisamos de Deus. Precisamos de um dicionário. Pese as questões. Explore as opções. Decifre a verdade.

Mas seja cuidadoso, aluno. Pois se a salvação depende da doutrina correta, então um erro pode ser fatal. Isso serve para aqueles que acreditam que podem se justificar perante Deus por meio das obras. Espero que a tentação nunca seja maior que a força. Se for, uma queda pode ser um mau presságio. E aqueles que acham que somos salvos pelo sofrimento, tomem cuidado também, pois nunca se sabe quanto sofrimento é exigido.

Mas seja cuidadoso, aluno. [...] Se estiver salvando a si mesmo, você nunca tem certeza de nada.

De fato, se estiver salvando a si mesmo, você nunca tem certeza de nada. Você nunca sabe se foi ferido o suficiente, se chorou o suficiente ou se aprendeu o suficiente. Este é o resultado da religião computadorizada: medo, insegurança, instabilidade. E, mais ironicamente, arrogância.

É isso mesmo — arrogância. O inseguro é aquele que mais se gloria. Aqueles que estão tentando salvar a si mesmos se autopromovem. Aqueles que são salvos pelas obras exibem obras. Os que se salvam pelo sofrimento revelam cicatrizes. Aqueles que são salvos pelas emoções demonstram seus sentimentos. E aqueles que são salvos pela doutrina — você entendeu. Eles penduram a doutrina no pescoço.

Você ousa se colocar diante de Deus e pedir que ele o salve por conta de seu sofrimento, de seu sacrifício, de suas lágrimas ou de seu estudo?

Eu também não.

Paulo também não. Foram necessárias décadas para ele descobrir o que escreveu em apenas uma frase.

"O homem é justificado pela fé" (Rm 3.28).

Não é por boas obras, sofrimento ou estudo. Tudo isso pode ser resultado da salvação, mas não são a causa dela.

Como você pode escapar do julgamento de Deus? Só existe uma maneira. Pela fé no sacrifício de Deus. Não é o que você faz; é o que ele fez.

QUANDO OS ANJOS SILENCIARAM

Família

Um tesouro inestimável

Minhas filhas já passaram da idade, mas quando eram pequenas — cabiam no berço e enchiam fraldas —, eu chegava em casa, chamava o nome delas e as via correrem na minha direção com braços estendidos e gritinhos. Durante os minutos seguintes, falávamos a linguagem do amor. Rolávamos no chão, eu mordia o umbigo delas, fazia cócegas na barriga, ríamos e brincávamos.

Nós nos deleitávamos na presença uns dos outros. Elas não me faziam pedidos, a não ser "Papai, vamos brincar". E eu não exigia nada delas, exceto "Não acertem o papai com o martelo".

Minhas filhas me deixavam amá-las.

Simplesmente como Jesus

Pais, não podemos proteger os filhos de todas as ameaças da vida, mas podemos levá-los à Fonte da vida. Podemos confiar nossos filhos a Cristo.

Sem medo de viver

Óleo de motor corria pelas veias do meu pai. Ele consertava motores cheios de óleo para viver e reconstruía motores de carro por diversão. Ele trabalhava com graxa e parafusos como os escultores trabalham com o barro; eles eram sua forma de arte por opção. Papai adorava máquinas.

Mas Deus lhe deu um filho estúpido em mecânica, que não sabia a diferença entre um diferencial e um disco de freio. Meu pai tentou me ensinar. Eu tentei aprender. Digo com honestidade que tentei. Mais de uma vez, porém, eu de fato adormeci debaixo do carro no qual estávamos trabalhando. As máquinas me anestesiavam. Mas os livros me fascinavam. Fui de bicicleta para a biblioteca milhares de vezes. O que um mecânico faz com um filho que adora livros?

Ele faz a inscrição do filho na biblioteca. Dá alguns livros de presente no natal. Coloca um abajur ao lado de sua cama para que ele possa ler à noite. Paga a mensalidade para que seu filho possa estudar literatura universitária ainda no ensino médio. Meu pai fez isso. Sabe o que ele não fez? Nem uma vez sequer ele disse "Por que você não pode ser mecânico como seu pai e seu avô?". Talvez ele entendesse minha inclinação. Ou talvez não quisesse que eu morresse de fome...

Estude seus filhos enquanto você puder. O maior presente que você pode lhes dar não são os seus bens, mas revelar a eles os bens que eles mesmos possuem.

QUEBRANDO A ROTINA

O amor de um pai pelo filho é uma força poderosa. Considere um casal com o filho recém-nascido. A criança não oferece absolutamente nada aos pais. Nenhum dinheiro. Nenhuma habilidade. Nenhuma palavra de sabedoria. Se tivesse bolsos, eles estariam vazios. Ver um bebê deitado num carrinho é contemplar a total impotência. O que há ali para ser amado?

Seja o que for, mamãe e papai encontram. Olhe para o rosto da mãe enquanto ela cuida de seu bebê. Dê uma olhada nos olhos do pai enquanto ele nina o filho. E tente ferir ou falar mal da criança. Se você o fizer, encontrará uma força poderosa, pois o amor de um pai é uma força poderosa.

ELE ESCOLHEU OS CRAVOS

Foi o canto dela que fez isso. Num primeiro momento, não percebi. Não havia razão para tal. As circunstâncias eram as mais comuns possíveis. Um papai buscando a filha de 6 anos que fora a uma reunião das bandeirantes. Sara ama as bandeirantes; ela gosta muito dos prêmios que ganha e do uniforme que usa. Ela subiu no carro e mostrou-me seu novo distintivo, além dos biscoitos fresquinhos. Eu voltei para a estrada, coloquei a música favorita dela para tocar e voltei minha atenção para questões mais complexas de agenda e obrigações.

Mas depois de apenas alguns passos no labirinto dos pensamentos, voltei atrás. Sara estava cantando. Cantando sobre Deus. Cantando para Deus. Cabeça para trás, queixo para cima, a plenos pulmões, ela encheu o carro de música. As harpas do céu pararam para ouvir.

Essa é a minha filha? Sua voz parece mais madura. Ela parece mais velha, mais alta e até mais bonita. Será que cochilei em algum momento? O que houve com as bochechas redondas? O que aconteceu ao rosto pequeno e aos dedos gorduchos? Ela está se tornando uma jovenzinha. Cabelo loiro até os ombros. Pés pendendo do assento. Em algum momento da noite uma página foi virada e, bem, veja só como ela está!

Se você é pai, então sabe o que quero dizer. Ontem, fraldas; hoje, a chave do carro? De repente, seu filho está a meio caminho da faculdade e você está, por assim dizer, ficando sem oportunidades de mostrar seu amor.

Foi o que fiz. A música parou, Sara parou, eu ejetei a fita, coloquei a mão no seu ombro e disse:

— Sara, você é muito especial — disse eu. Ela se virou e sorriu de modo tolerante. — Um dia desses, um rapaz de pernas peludas vai roubar seu coração e levar você para o próximo século. Mas, neste momento, você pertence a mim.

Ela inclinou a cabeça, olhou para longe por um instante; depois, olhou de volta para mim e perguntou:

— Papai, por que você está falando desse jeito tão esquisito?

Suponho que aquelas palavras soaram muito estranhas para uma menina de 6 anos. O amor de um pai soa esquisito aos ouvidos de um filho. Meu rompante de emoção estava além do alcance dela. Mas isso não me impediu de falar.

NAS GARRAS DA GRAÇA

Ninguém me disse que recém-nascidos faziam barulho à noite. A noite toda. Eles gorgolejam; eles ofegam. Eles choramingam; resmungam. Eles estalam os lábios e suspiram. Eles mantêm o papai acordado. Pelo menos Jenna me mantinha acordado. Queria que Denalyn dormisse. Graças a uma mistura de medicamentos, seu descanso pós-cesariana foi reduzido. Assim, para nossa primeira noite em casa com nossa primeira filha, prontifiquei-me a servir como socorrista. Embrulhamos nossa beleza de três quilos e oitocentos gramas num cobertor cor-de-rosa macio, a colocamos no berço e a levamos até o meu lado da cama. Denalyn caiu rapidamente num sono profundo.

Jenna seguiu o exemplo de sua mãe. E papai? Este pai não sabia o que fazer com os ruídos do bebê.

Quando a respiração de Jenna ficou mais lenta, coloquei o ouvido perto de sua boca para ver se ela estava viva. Quando sua respiração acelerou, procurei o verbete "hiperventilação infantil" na enciclopédia médica da família. Quando ela gorgolejou e ofegou, fiz o mesmo. Depois de algumas horas, percebi: "Não faço ideia de como me comportar!". Tirei Jenna de sua cama, levei-a para a sala de nosso apartamento e me sentei numa cadeira de balanço. Foi então que um tsunami de bom senso veio sobre mim.

"Somos responsáveis por um ser humano."

Não importa quão durão você seja. Você pode ser um soldado das forças de elite, especializado em salto de paraquedas em grandes altitudes atrás das linhas inimigas. Você pode passar cada dia tomando decisões de milhões de dólares em segundos no mercado de ações. Não importa. Todo pai derrete no momento em que sente a força total da paternidade.

Eu derreti.

"Como fui me meter nisso?" Reconstituí meus passos. Primeiramente, veio o amor, depois o casamento e, então, as *discussões* sobre a gravidez. É claro que eu estava aberto à ideia. Especialmente quando considerei meu papel ao me lançar na empreitada. Por alguma razão, durante o projeto de expansão de nove meses, a realidade da paternidade não me ocorreu. As mulheres estão balançando a cabeça e sorrindo: "Nunca subestime a estupidez de um homem", você diz. É verdade. Mas as mães possuem uma vantagem: 36 semanas de lembretes dando cotoveladas dentro delas. O nosso chute no estômago vem depois. Mas ele vem. E para mim, veio na calma madrugada na sala de estar de um apartamento no centro da cidade do Rio de Janeiro, Brasil, enquanto eu segurava um ser humano nos braços.

SEM MEDO DE VIVER

"Como está o seu casamento?"

Considere-o como seu violoncelo Testore. Esse instrumento de fina construção e raramente visto alcançou a categoria de raro e está rapidamente conquistando o *status* de um bem de preço inestimável. Poucos músicos têm o privilégio de tocar um Testore; um número ainda menor consegue possuir um.

Por acaso, conheci um homem que possui. Ele, ui, me emprestou o instrumento para um sermão. Disposto a ilustrar a frágil inviolabilidade do casamento, pedi que ele colocasse o instrumento de quase 300 anos no palco e expliquei seu valor para a igreja.

Como você acha que tratei a relíquia? Por acaso o girei, rodei e puxei suas cordas? De jeito nenhum. O violoncelo era valioso demais para meus dedos desajeitados. Além disso, o dono dele havia me emprestado. Não ousaria desonrar aquele tesouro.

No dia de seu casamento, Deus emprestou a você sua obra de arte: uma obra-prima fabricada de maneira intrincada e formada com precisão. Ele confiou a você uma criação única. Valorize-a. Honre-a. Depois de ter recebido um Testore, por que sair perdendo tempo com qualquer outra pessoa?

Davi não entendeu isso. Ele colecionava esposas como troféus. Ele via as esposas como um meio de obter prazer, não como parte do plano de Deus. Não cometa esse erro.

Seja ferozmente leal a seu cônjuge. *Ferozmente* leal. Nem sequer olhe duas vezes para outra pessoa. Não flerte. Não provoque. Não desperdice tempo na mesa dela nem demore na sala dele. E daí se você for visto como grosseiro ou puritano? Você fez uma promessa. Cumpra-a.

E, ao fazê-lo, nutra os filhos que Deus dá.

"Como estão as coisas com seus filhos?"

> Deus emprestou a você sua obra de arte. [...] Ele confiou a você uma criação única. Valorize-a. Honre-a.

Heróis silenciosos pontuam a paisagem de nossa sociedade. Eles não usam faixas nem beijam troféus; eles usam aventais e beijam bumbuns. Eles não ocupam as manchetes, mas fazem barras de calças, conferem os resumos e ficam do lado de fora do campo. Você não encontrará o nome deles na pequena lista do Prêmio Nobel, mas os achará no teatro da escola, no transporte solidário e na lista dos professores da escola dominical.

São pais, tanto de sangue quanto por ação, nome e agenda. Heróis. Os noticiários não falam deles. Mas tudo bem. Porque os filhos falam. Eles os chamam de mamãe. Eles os chamam de papai. E essas mães e pais, mais valiosos do que todos os executivos e legisladores do planeta, mantêm silenciosamente o mundo em funcionamento.

Seja contado entre eles. Leia livros para seus filhos. Jogue bola enquanto você puder e enquanto eles quiserem. Estabeleça o objetivo de assistir a todos os jogos de que eles participarem, de ler toda história que eles escreverem, de ouvir todo recital que eles realizarem.

As crianças soletram amor com cinco letras: T-E-M-P-O. Não apenas tempo de qualidade, mas tempo de se pendurar, tempo de rolar, todo tempo, qualquer tempo. Seus filhos não são o seu *hobby*; eles são o seu chamado.

Seu cônjuge não é o seu troféu, mas o seu tesouro.

Não pague o preço que Davi pagou. Podemos pular alguns capítulos e ir direto para suas últimas horas? Para ver o custo final de uma família negligenciada, veja o modo como nosso herói morre.

Davi está a horas da sepultura. Um frio tal se instaurou ali, que nenhum cobertor pode remover. Os empregados decidem que ele precisa de uma pessoa para aquecê-lo, alguém para segurá-lo firme enquanto dá seus últimos suspiros.

Eles procuram uma de suas esposas? Não. Chamam algum de seus filhos? Não. "Procuraram em todo o território de Israel uma jovem que fosse bonita. A jovem, muito bonita, cuidava do rei e o servia, mas o rei não teve relações com ela" (1Rs 1.3-4).

Desconfio que Davi teria trocado todas as suas coroas conquistadas pelos ternos braços de uma esposa. Mas era tarde demais. Ele morreu sob os cuidados de uma estranha porque transformara em estranhos os de sua própria família.

Mas não é tarde demais para você.

Faça de sua esposa o objeto de sua maior devoção. Faça de seu marido o receptor de sua paixão mais profunda. Ame a pessoa que usa o sua aliança.

E trate com carinho os filhos que compartilham o seu nome.

Seja bem-sucedido primeiramente em casa.

DERRUBANDO GOLIAS

Há momentos em que somos chamados a amar sem esperar nada em troca.

ELE AINDA REMOVE PEDRAS

Você já notou o jeito como um noivo olha para sua noiva durante a cerimônia de casamento? Eu já. Talvez por conta do meu ponto de vista privilegiado. Como oficiante do casamento, fico perto do noivo. Nós nos colocamos lado a lado, sendo que ele está prestes a entrar no casamento; eu, prestes a realizá-lo. No momento em que chegamos ao altar, já passei com ele algum tempo nos bastidores enquanto ele ajeitava o colarinho e penteava a sobrancelha. Seus amigos o lembraram de que não era tarde demais para fugir, e sempre há um olhar meio sério em seu rosto que diz que ele poderia. Como ministro, sou aquele que sinaliza quando é hora de sairmos da parte de trás e irmos para o altar. Ele me segue pela igreja como um criminoso que vai para a forca. Mas tudo isso muda quando ela aparece. E o olhar em seu rosto é minha cena favorita no casamento.

A maioria não vê. A maioria não vê porque está olhando para ela. Mas enquanto outros olhos estão sobre a noiva, eu dou uma espiada no noivo. Se a iluminação estiver certa e o ângulo for o correto, posso ver um pequeno reflexo nos olhos dele. É o reflexo dela. E a visão dela faz que ele se lembre da razão de estar ali. Seu queixo relaxa e seu sorriso forçado se suaviza. Ele esquece que está usando *smoking*. Ele se esquece da camisa ensopada de suor. Ele se esquece de que apostou que não vomitaria. Quando ele a vê, qualquer ideia de fuga se torna novamente uma piada. Pois está escrito por toda sua face: "Quem suportaria viver sem esta noiva?".

QUANDO CRISTO VOLTAR

Casamentos saudáveis têm um senso de "permanência". O marido permanece em sua esposa e ela permanece nele. Existe uma ternura, uma honestidade, uma comunicação constante. O mesmo é verdade em seu relacionamento com Deus. Às vezes vamos a ele com nossas alegrias e, às vezes, com nossas mágoas, mas sempre vamos. E, conforme vamos, quanto mais vezes vamos, mais nos tornamos semelhantes a ele. Paulo diz que estamos sendo transformados "de glória em glória" (2Co 3.18, RA).

Pessoas que vivem longo tempo juntas começam a ficar parecidas, a falar igual e até a pensar da mesma maneira. Conforme caminhamos com Deus, assumimos seus pensamentos, seus princípios, suas atitudes. Assumimos o coração dele.

E, assim como no casamento, a comunhão com Deus não é um fardo. É, de fato, um prazer. "Como é agradável o lugar da tua habitação, SENHOR dos Exércitos! A minha alma anela, e até desfalece, pelos átrios do SENHOR" (Sl 84.1-2). O nível de comunicação é tão doce que nada se compara a ele.

SIMPLESMENTE COMO JESUS

Jesus tem alguma coisa a dizer sobre como lidar com parentes difíceis? Existe algum exemplo de Jesus trazendo paz a uma família difícil? Sim, existe.

A própria família dele.

Você pode se surpreender por saber que Jesus tinha uma família problemática. Você pode se surpreender até pelo fato de Jesus ter tido uma família! Talvez você não saiba que Jesus teve irmãos e irmãs. Ele teve. Ao citar os críticos conterrâneos de Jesus, Marcos escreveu: "Não é este o carpinteiro, filho de Maria e irmão de Tiago, José, Judas e Simão? Não estão aqui conosco as suas irmãs?" (Mc 6.3).

E você pode ficar surpreso por saber que a família dele não era perfeita. Pois não era. Se a sua família não gosta de você, não desanime; a de Jesus também não gostava dele. "Só em sua própria terra, entre seus parentes e em sua própria casa, é que um profeta não tem honra" (Mc 6.4).

> Se a sua família não gosta de você, não desanime; a de Jesus também não gostava dele.

Fico imaginando o que ele quis dizer com a expressão "em sua própria casa". Ele ia para a sinagoga onde era solicitado a falar. As pessoas estavam orgulhosas por aquele rapaz da cidade ter se saído bem — até que ouviram o que ele disse. Ele se referiu a si mesmo como o Messias, aquele que viera para cumprir a profecia.

Qual foi a reação deles? "Ele não é o filho de José?" Tradução: este não é o Messias! Ele é exatamente como um de nós! Ele é o filho do encanador que mora no final da rua. É o contador do terceiro andar. É o pedreiro que namorou a minha irmã. Deus não fala através de pessoas familiares.

Num minuto, ele era um herói e, no minuto seguinte, era um herege. Veja o que aconteceu em seguida. "Levantaram-se, expulsaram-no da cidade e o levaram até o topo da colina sobre a qual fora construída a cidade, a fim de atirá-lo precipício abaixo. Mas Jesus passou por entre eles e retirou-se" (Lc 4.29-30).

Que momento horrível! Os amigos da vizinhança de Jesus tentaram matá-lo. Ainda mais horrível do que o que vemos, porém, é aquilo que não vemos. Perceba o que está faltando neste versículo. Note quais palavras deveriam estar lá, mas não estão.

Ficaria assim: "Levantaram-se, expulsaram-no da cidade e o levaram até o topo da colina a fim de atirá-lo precipício abaixo, mas os irmãos de Jesus se aproximaram e o defenderam".

Gostaríamos de ler isso, mas não podemos, porque o texto não diz isso. Não foi o que aconteceu. Quando Jesus estava em dificuldades, seus irmãos estavam invisíveis.

Contudo, eles nem sempre estiveram invisíveis. Houve um momento em que eles falaram. Houve um momento em que foram vistos com ele em público. Não porque tivessem orgulho dele, mas porque estavam com vergonha dele. "Quando seus familiares ouviram falar disso, saíram para trazê-lo à força, pois diziam: 'Ele está fora de si'" (Mc 3.21).

Os irmãos e irmãs de Jesus achavam que seu irmão era um lunático. Não tinham orgulho dele — estavam envergonhados!

"Ele está fora de si, mamãe. Você devia escutar o que as pessoas estão dizendo sobre ele."

"O povo diz que ele é maluco."

"É, alguém me perguntou por que não fazemos alguma coisa com ele."

"Ainda bem que papai não está por aqui para ver o que Jesus está fazendo."

Palavras dolorosas ditas pelos que eram mais próximos de Jesus.

Aqui vão algumas outras:

> Os irmãos de Jesus lhe disseram: "Você deve sair daqui e ir para a Judeia, para que os seus discípulos possam ver as obras que você faz. Ninguém que deseja ser reconhecido publicamente age em segredo. Visto que você está fazendo estas coisas, mostre-se ao mundo". Pois nem os seus irmãos criam nele.
>
> João 7.3-5

Perceba o sarcasmo naquelas palavras! Elas transbordam zombaria. Como Jesus aguentava aqueles caras? Como você consegue crer em si mesmo quando aqueles que mais o conhecem não acreditam? Como você pode seguir em frente quando sua família quer puxá-lo para trás? Quando você e sua família têm propósitos diferentes, o que você faz?

Jesus nos dá algumas respostas.

Vale a pena perceber que ele não tentou controlar o comportamento de sua família, nem permitiu que o comportamento deles controlasse o seu. Não exigiu que seus familiares concordassem com ele. Não ficou aborrecido quando eles o insultaram. Ele não transformou em missão de vida o objetivo de agradá-los.

Todos nós alimentamos uma fantasia de que nossa família será como os Waltons,[4] uma esperança de que nossos parentes sejam nossos amigos mais queridos. Jesus não tinha essa expectativa. Veja como ele definiu sua família: "Quem faz a vontade de Deus, este é meu irmão, minha irmã e minha mãe" (Mc 3.35).

Quando Jesus percebeu que seus irmãos não compartilhavam de suas convicções, ele não os forçou. Reconheceu que sua família espiritual poderia fornecer aquilo que a família física não podia. Se o próprio Jesus não pôde forçar sua família a compartilhar de suas convicções, o que o leva a pensar que você poderá forçar a sua?

Se o próprio Jesus não pôde forçar sua família a compartilhar de suas convicções, o que o leva a pensar que você poderá forçar a sua?

Não podemos controlar a maneira como nossa família reage a nós. Quando se trata do comportamento de outros em relação a nós, nossas mãos estão atadas. Precisamos ir além das expectativas ingênuas de que, se formos bons, as pessoas nos tratarão corretamente. O fato é que isso pode acontecer ou não — não podemos controlar a maneira como as pessoas reagem a nós.

Se o seu pai é um tolo, você pode ser a melhor filha do mundo e ele, ainda assim, não admitirá isso.

Se a sua tia não gosta da sua carreira, você pode mudar de emprego dezenas de vezes e, ainda assim, não a agradar.

Seu a sua irmã está sempre reclamando do que você ganhou e ela não, você pode dar tudo a ela e, ainda assim, talvez ela não mude.

Enquanto você achar que pode controlar o comportamento das pessoas em relação a você, estará preso às opiniões delas. Se você acha que pode controlar a opinião delas e a opinião delas não for positiva, então adivinhe quem você tem de culpar? Você mesmo.

É um jogo com regras injustas e conclusões fatais. Jesus não entrou nesse jogo, e você também não deveria entrar.

Não sabemos se José apoiou seu filho Jesus no ministério, mas sabemos que Deus apoiou: "Este é o meu Filho amado, de quem me agrado" (Mt 3.17).

Não posso garantir que sua família vai sempre lhe dar a bênção que você procura, mas sei que Deus o fará. Deixe Deus dar a você aquilo que sua família não dá. Se o seu pai terreno não o apoia, então deixe que o Pai celestial assuma o lugar dele.

Como você pode fazer isso? Aceitando emocionalmente a Deus como seu pai. Sabe, uma coisa é aceitar a Deus como Senhor e outra é reconhecê-lo como Salvador — mas um assunto completamente diferente é aceitá-lo como Pai.

Reconhecer a Deus como Senhor é admitir que ele é soberano e supremo no universo. Aceitá-lo como Salvador é aceitar seu presente de salvação oferecido na cruz. Considerá-lo como Pai é dar um passo além. Numa situação ideal, o pai é aquela pessoa na sua vida que sustenta e protege. É exatamente isso o que Deus tem feito.

O pai é aquela pessoa na sua vida que sustenta e protege. É exatamente isso o que Deus tem feito.

Ele atende as suas necessidades (Mt 6.25-34). Ele o protege do perigo (Sl 139.5). Ele o adota (Ef 1.5). E ele lhe dá seu próprio nome (1Jo 3.1).

Deus tem se mostrado um pai fiel. Agora cabe a nós sermos filhos confiantes. Permita que Deus dê a você aquilo que sua família não dá. Deixe que ele preencha o vazio que outros deixaram. Conte com ele para obter apoio e encorajamento. Observe as palavras de Paulo: "Assim vocês não são mais escravos; vocês são filhos. E, já que são filhos, Deus lhes dará tudo o que ele tem para dar aos seus filhos" (Gl 4.7, NTLH).

Ter a aprovação de sua família é algo muito desejável, mas, além de não ser necessário para a felicidade, nem sempre é possível. Jesus não permitiu que a dinâmica familiar complicada obscurecesse o chamado que ele recebeu de Deus. E por não ter permitido que isso acontecesse, este capítulo tem um final feliz.

O que aconteceu à família de Jesus?

Vamos garimpar juntos uma pepita de ouro oculta nas entrelinhas do livro de Atos. "Então eles voltaram para Jerusalém, vindo do monte chamado das Oliveiras. [...] Todos eles se reuniam sempre em oração, com as mulheres, *inclusive Maria, a mãe de Jesus, e com os irmãos dele*" (At 1.12,14, grifo do autor).

Que mudança! Aqueles que zombaram dele agora o adoram. Aqueles que tiveram pena dele, agora oram a ele. E se Jesus os tivesse desprezado? Ou, pior ainda, o que teria acontecido se ele tivesse sufocado sua família com exigências por mudanças?

Não foi o que ele fez. Em vez disso, deu-lhes espaço, tempo e graça. E por causa disso, eles mudaram. Quanto eles mudaram? Um de seus irmãos tornou-se apóstolo (Gl 1.19) e outros se tornaram missionários (1Co 9.5).

Portanto, não desanime. Deus ainda transforma famílias.

ELE AINDA REMOVE PEDRAS

Perdão

BONDADE RECEBIDA, MISERICÓRDIA CONCEDIDA

Cristo viveu a vida que não conseguiríamos viver e aguentou a punição que não conseguiríamos aguentar para oferecer a esperança à qual não conseguimos resistir. Seu sacrifício nos leva a fazer a seguinte pergunta: se ele nos amou tanto assim, não podemos amar uns aos outros? Tendo sido perdoados, não podemos perdoar? Tendo banqueteado junto à mesa da graça, não podemos compartilhar algumas migalhas? "Meus amigos queridos, se Deus nos amou assim, então devemos amar uns aos outros" (1Jo 4.11, AM).

DERRUBANDO GOLIAS

∞

Em pé, diante de dez mil olhos, está Abraham Lincoln. Um Abraham Lincoln desconfortável. Seu desconforto vem não da ideia de fazer seu primeiro discurso de posse, mas dos ambiciosos esforços de alfaiates bem-intencionados. Ele não está acostumado a tais vestimentas — casaca preta formal, colete de seda, calças pretas e uma cartola brilhante. Ele segura uma enorme bengala de ébano com uma ponta dourada do tamanho de um ovo.

Ele se aproxima da plataforma com a cartola numa mão e a bengala na outra. Não sabe o que fazer com nenhuma das duas. No nervoso silêncio que se segue ao aplauso e antes do discurso, ele procura um lugar para colocá-las. Finalmente apoia a bengala num canto do corrimão, mas ainda não sabe o que fazer com o chapéu. Poderia deixá-lo na tribuna, mas ocuparia muito espaço. Talvez no chão... Não, muito sujo.

Naquele momento, que ameaçava prolongar-se, um homem dá um passo à frente e pega o chapéu, volta para seu lugar e ouve atentamente o discurso de Lincoln.

Quem é ele? O amigo mais querido de Lincoln. O presidente falou sobre ele: "Ele e eu somos talvez os melhores amigos do mundo".

Ele foi um dos maiores apoiadores dos primeiros estágios da presidência de Lincoln. Recebeu a honra de acompanhar a sra. Lincoln no grande baile da posse. Quando a tempestade da Guerra Civil americana começou a se formar, muitos dos amigos de Lincoln o abandonaram, mas não aquele homem. Ele amplificou sua lealdade ao viajar pelo sul dos Estados Unidos como embaixador da paz de Lincoln. Implorou aos sulistas que não se separassem e aos nortistas que se juntassem ao presidente.

Seus esforços foram grandes, mas a onda de ódio foi ainda maior. O país acabou se dividindo e a guerra civil inundou de sangue a nação. O amigo de Lincoln não viveu para ver isso. Morreu três meses depois da posse. Consumido pelas viagens, sucumbiu a uma febre, e Lincoln teve de enfrentar a guerra sozinho.

Ao ouvir a notícias da morte de seu amigo, Lincoln chorou abertamente e ordenou que a bandeira da Casa Branca fosse colocada a meio mastro. Alguns acham que o amigo de Lincoln poderia ter sido seu companheiro de chapa em 1864 e que, assim, teria se tornado presidente logo após o assassinato do Grande Libertador.

Não há como saber se isso aconteceria. Mas o que de fato sabemos é que Lincoln teve um amigo verdadeiro. Também podemos apenas imaginar o número de vezes que a lembrança daquele amigo trouxe calor a um frio Salão Oval. Ele foi um modelo de amizade.

Também foi um modelo de perdão.

Esse amigo poderia facilmente ter-se tornado um inimigo. Muito antes de serem aliados, ele e Lincoln foram oponentes — políticos em busca do mesmo cargo. Infelizmente, seus debates ficaram mais conhecidos do que sua amizade. Os debates entre Abraão Lincoln e seu grande amigo Stephen A. Douglas.

Porém, no melhor dia da vida de Lincoln, Douglas deixou de lado suas diferenças e segurou o chapéu do presidente. Douglas atendeu a um chamado mais elevado. Ele estava presente na festa.

Seremos sábios se agirmos do mesmo modo. Seremos sábios se nos colocarmos acima de nossas mágoas. Pois, se agirmos assim, marcaremos presença na derradeira celebração do Pai. Uma festa que porá fim a todos os partidos. Uma festa em que amuados não entram.

Por que você não vem e aproveita a diversão?

Ele ainda remove pedras

Houve uma pessoa na nossa vida que trouxe bastante estresse a Denalyn e a mim. Ela chamava no meio da noite. Era exigente e implacável. Gritava conosco em público. Quando queria algo, queria na hora e queria exclusivamente de nós.

Mas nunca pedimos que ela nos deixasse sozinhos. Nunca dissemos a ela que fosse perturbar outra pessoa. Jamais tentamos nos vingar.

Afinal de contas, ela tinha apenas alguns meses de vida.

Para nós era fácil perdoar o comportamento de nossa filha pequena porque sabíamos que ela não entendia nada.

Ora, existe um mundo de diferença entre uma criança inocente e um Judas deliberado. Mas ainda existe uma ligação com a minha história, que é esta: a melhor maneira de lidar com o comportamento de uma pessoa é entender a causa dele. Um jeito de lidar com as peculiaridades de uma pessoa é tentar entender por que ela é especial.

> Um jeito de lidar com as peculiaridades de uma pessoa é tentar entender por que ela é especial.

Jesus sabia que Judas fora seduzido por um inimigo poderoso. Ele estava consciente dos engodos sussurrados por Satanás (ele próprio já os havia escutado). Ele sabia como era difícil para Judas fazer o que era certo.

Ele não justificou o que Judas fez. Não minimizou o ato. Nem eximiu Judas de sua escolha. Mas ele de fato olhou nos olhos de seu traidor e tentou entender.

Enquanto você odeia o seu inimigo, uma porta de cadeia é fechada e um prisioneiro é levado. Mas quando você tenta entender e libertar seu adversário de seu ódio, então o prisioneiro é libertado, e o prisioneiro é você.

QUANDO OS ANJOS SILENCIARAM

ꟹ

Quer aprender a perdoar? Então considere como você foi perdoado. "Sejam bondosos e compassivos uns para com os outros, perdoando-se mutuamente, assim como Deus os perdoou em Cristo" (Ef 4.32).

Aprenda a compartilhar um amor que vale a pena

Por que os discípulos voltaram? O que os fez retornar? Rumores sobre a ressurreição? Em parte, sim.

Mas foi algo maior que apenas rumores de uma tumba vazia que os trouxe de volta. Havia alguma coisa no coração deles que não os deixaria viver com sua traição. Por mais respeitáveis que tenham sido suas desculpas, elas não foram boas o suficiente para apagar o ponto principal da história: eles haviam traído seu Mestre. Quando Jesus precisou deles, eles sumiram. E agora precisavam lidar com a vergonha.

Buscando perdão mas sem saber onde procurá-lo, eles voltaram. Eles gravitaram por aquele mesmo cenáculo que continha as doces lembranças de um pão partido e de um vinho simbólico. O simples fato de que eles voltaram diz algo em relação ao líder deles. Diz algo sobre Jesus que aqueles que mais o conheciam não podiam suportar o fato de serem reprovados por ele. Para os doze discípulos originais havia apenas duas opções: rendição ou suicídio. Também diz algo sobre Jesus: aqueles que mais o conheciam sabiam que, apesar de terem feito exatamente aquilo que haviam prometido não fazer, eles ainda poderiam encontrar perdão.

Assim, eles voltaram. Cada um com um álbum cheio de lembranças e um pequeno fio de esperança. Cada um ciente de que tudo havia acabado, mas esperando no coração que o impossível pudesse acontecer mais uma vez. "Se eu tivesse apenas mais uma chance."

Ali estão eles, sentados. O pouco de conversa que acontece se concentra nos rumores da tumba vazia. Alguns suspiram. Alguém tranca a porta. Alguém arrasta os pés.

E bem no momento em que a escuridão se torna totalmente densa, bem na hora em que seus pensamentos se deixam prender pela lógica, no instante em que alguém diz "Eu daria minha alma imortal para vê-lo mais uma vez", uma face conhecida atravessa a parede.

> Também diz algo sobre Jesus: aqueles que mais o conheciam sabiam que, apesar de terem feito exatamente aquilo que haviam prometido não fazer, eles ainda poderiam encontrar perdão.

Meu Deus, que final. Ou, melhor dizendo, que começo! Não deixe de ver a promessa revelada nesta história. Esta passagem está repleta de esperança para aqueles de nós que, tal como os apóstolos, se viraram e fugiram quando deveriam ter ficado e lutado. Um coração arrependido é tudo o que ele exige. Saia das sombras! Chega de se esconder! Um coração arrependido é suficiente para convocar o próprio Filho de Deus a passar pelas paredes da culpa e da vergonha. Aquele que perdoou seus seguidores se coloca pronto para perdoar o restante de nós. Tudo o que temos a fazer é voltar.

Não é surpresa que o chamem de Salvador.

SEU NOME É SALVADOR

Durante a Primeira Guerra Mundial, um soldado alemão saltou numa cratera fora do comum formada pela explosão de uma bomba. Ali ele encontrou um inimigo ferido. O soldado caído estava ensopado de sangue e a apenas minutos da morte. Tocado pelo apelo do homem, o soldado alemão ofereceu-lhe água. Por meio dessa pequena bondade, um laço se desenvolveu. O homem moribundo apontou para o bolso de sua camisa; o soldado alemão tirou dali uma carteira e removeu algumas fotos de família. Ele as segurou de modo que o homem ferido pudesse olhar para seus entes queridos uma última vez. Com balas cruzando o ar acima deles e a guerra ao seu redor, aqueles dois inimigos foram, por apenas alguns breves momentos, amigos.

O que aconteceu naquela trincheira? Todo o mal cessou? Todos os erros foram corrigidos? Não. O que aconteceu foi simplesmente isto: dois inimigos viram um ao outro como humanos que precisavam de ajuda. Isso é perdão. O perdão começa ao se colocar acima da guerra, olhar além do uniforme e optar por ver um ao outro não como inimigo ou mesmo como amigo, mas apenas como um colega combatente desejoso de chegar ao lar em segurança.

Nas garras da graça

Nunca ficaremos limpos até que confessemos que estamos sujos. Nunca seremos puros até que admitamos que somos imundos. E nunca seremos capazes de lavar os pés daqueles que nos feriram até que permitamos que Jesus, aquele a quem nós ferimos, lave os nossos.

Sabe, esse é o segredo do perdão. Você nunca perdoará ninguém mais do que Deus já o perdoou. Somente ao deixar que ele lave seus pés é que você poderá ter forças para lavar os pés de outra pessoa.

Ainda está difícil de imaginar? Ainda está difícil considerar a ideia de perdoar aquele que o feriu?

Se é o caso, vá mais uma vez para o cenáculo. Veja Jesus ir de discípulo a discípulo. Você consegue vê-lo? Pode ouvir o barulho da água? Pode ouvi-lo caminhar na direção da próxima pessoa? Bom. Mantenha essa imagem.

Lemos em João 13.12: "Quando terminou de lavar-lhes os pés...".

Perceba uma coisa; ele *terminou* de lavar os pés deles. Isso significa que ele não deixou ninguém de fora. Por que isso é importante? Porque isso também significa que ele lavou os pés de Judas. Jesus lavou os pés de seu traidor. Ele deu a seu traidor a mesma atenção. Em apenas algumas horas, os pés de Judas guiariam a guarda romana até Jesus. Mas, naquele momento, eles foram cuidados por Cristo.

Isso não quer dizer que foi fácil para Jesus.

Isso não quer dizer que é fácil para você.

Isso quer dizer que Deus nunca o chamará para fazer aquilo que ele já não tenha feito.

OUVINDO DEUS NA TORMENTA

O amor de Deus

NUNCA FALHA, NUNCA CESSA

Deus nunca deixará que você parta. Ele se algemou a você em amor. E ele tem a única chave. Você não precisa conquistar o amor dele. Você já o possui. E uma vez que não pode ganhá--lo, você não pode perdê-lo.

3:16 — A MENSAGEM DE DEUS PARA A VIDA ETERNA

A grande notícia da Bíblia não é que você ama a Deus, mas que Deus ama você; não é que você pode conhecer a Deus, mas que Deus já conhece você! Ele tatuou seu nome na palma da mão. Os pensamentos que ele tem sobre você são mais numerosos que os grãos da areia da praia. Você nunca sai da cabeça dele, não escapa de sua visão, não foge de seus pensamentos. Ele vê o que há de pior em você e ainda assim o ama. Seus pecados de amanhã e seus erros futuros não vão surpreendê-lo; ele os vê agora. Cada dia e cada ato de sua vida passaram diante dos olhos dele e foram calculados em sua decisão. Ele conhece você melhor do que você conhece a si mesmo e já chegou a um veredicto: ele ainda o ama. Nenhuma descoberta vai desiludi-lo; nenhuma rebelião vai dissuadi-lo. Ele ama você com amor eterno.

QUEM TEM SEDE VENHA

A várias centenas de metros abaixo da minha cadeira existe um lago, uma caverna subterrânea de água cristalina conhecida como Aquífero Edwards. Nós, do sul do Texas, sabemos muito sobre esse lençol d'água. Sabemos seu comprimento (281 quilômetros). Conhecemos seu curso (vai de oeste para leste exceto por baixo de San Antonio, onde corre do norte para o sul). Sabemos que a água é pura. Fresca. Ela irriga fazendas, rega gramados, enche piscinas e mata sede. Sabemos muita coisa sobre esse aquífero.

Contudo, apesar de todos os fatos que conhecemos, existe um essencial que não sabemos. Não sabemos seu volume. A profundidade da caverna? Um mistério. Quantidade de litros? Indeterminada. Ninguém sabe a quantidade de água que esse lençol subterrâneo contém.

Assista à previsão do tempo no noticiário da noite e você pensará de outra maneira. Os meteorologistas fazem atualizações regulares do nível do aquífero. Você tem a impressão de que a quantidade de água é calculada. "A verdade", disse-me um amigo, "é que ninguém sabe quanta água existe lá embaixo".

Será que é assim mesmo? Decidi descobrir. Liguei para um defensor dos recursos naturais. "Está certo", ele afirmou. "Fazemos uma estimativa. Não tentamos medir. Mas a quantidade exata? Ninguém sabe." Impressionante. Nós a usamos, dependemos dela, pereceríamos sem ela... mas medi-la? Não podemos.

Isso lhe traz à mente outro poço ilimitado? Pode ser. Não um poço de água, mas um poço de amor. O amor de Deus. Um aquífero fresco. Puro como a neve. Um gole acalma a garganta seca e suaviza o coração áspero. Mergulhe uma vida no amor de Deus e veja-a emergir limpa e transformada. Sabemos qual é o impacto do amor de Deus.

Mas qual é o volume? Ninguém jamais o mediu.

Sabemos qual é o impacto do amor de Deus.
Mas qual é o volume? Ninguém jamais o mediu.

Os meteorologistas morais, preocupados com a possibilidade de exaurirmos o suprimento, sugerem o oposto. "Não beba demais", eles advertem, recomendando porções racionadas. Algumas pessoas, afinal de contas, bebem além da cota. Terroristas, traidores e espancadores de mulheres — deixe esses patifes começarem a beber, e eles poderão beber demais.

Mas quem já mediu as profundezas do amor de Deus? Somente o próprio Deus. "Quer saber qual é o tamanho do meu amor?", convida ele. "Suba o caminho sinuoso fora de Jerusalém. Siga as marcas de sangue no chão até alcançar a colina. Antes de olhar para cima, pare e ouça o sussurro: 'Essa é a intensidade do meu amor por você'."

Isto não é para mim

Existem muitas perguntas sobre a Bíblia que não conseguiremos responder até chegarmos ao céu. Muitas frestas e fragmentos. Em muitas ocasiões, pensamos: "Será que...".

Em nossas ponderações, porém, existe uma pergunta que nunca precisamos fazer. Deus se importa conosco? Somos importantes para Deus? Ele ainda ama seus filhos?

Através do rostinho de um menino nascido numa estrebaria, ele diz que sim.

Sim, seus pecados são perdoados.
Sim, seu nome está escrito no céu.
Sim, a morte foi derrotada.
E sim, Deus veio a este mundo.
Emanuel. Deus está conosco.

ELE AINDA REMOVE PEDRAS

O amor nunca falha.

Governos falharão, mas o amor de Deus durará para sempre. Coroas são temporárias, mas o amor é eterno. Seu dinheiro vai acabar, mas o amor dele nunca terá fim.

"Como Deus pode ter um amor assim? Ninguém tem amor infalível. Nenhuma pessoa pode amar com perfeição." Você está certo. Nenhuma pessoa pode. Mas Deus não é uma pessoa. Diferente do nosso amor, o dele nunca falha. O amor dele é imensamente diferente do nosso.

Nosso amor depende do receptor do amor. Deixe mil pessoas passarem diante de nós e não sentiremos o mesmo em relação a cada uma delas. Nosso amor será regulado pela aparência, pela personalidade. Mesmo quando encontrarmos algumas pessoas das quais gostamos, nossos sentimentos vão variar. A maneira como elas nos tratam afetará o modo como as amamos. O receptor regula o nosso amor.

Não é assim com o amor de Deus. Não temos impacto termostático sobre seu amor por nós. O amor de Deus nasce de dentro dele, não daquilo que ele encontra em nós. O amor dele é indefinível e espontâneo.

Ele nos ama por causa de nossa bondade? Por causa de nossa amabilidade? Por causa de nossa fé enorme? Não, ele nos ama por causa da bondade, da amabilidade e da grande fé enorme *dele*. João fala da seguinte maneira: "Nisto consiste o amor: não em que nós tenhamos amado a Deus, mas em que ele nos amou" (1Jo 4.10).

> O amor de Deus nasce de dentro dele, não daquilo que ele encontra em nós.

Esse pensamento não o conforta? O amor de Deus não se apoia no nosso. A abundância do amor que você tem não aumenta o dele. Sua falta de amor não diminui o dele. Sua bondade não melhora o amor dele, nem sua fraqueza o dilui. O que Moisés disse a Israel é o que Deus diz a nós:

> O Senhor não dedicou seu amor a vocês, nem os escolheu por serem mais numerosos do que os outros povos, pois, na verdade, vocês eram o menor de todos os povos. Mas foi porque o Senhor os amou.
>
> Deuteronômio 7.7-8, NBV

Deus ama você simplesmente porque optou agir assim. Ele o ama quando você não se sente digno de ser amado. Ele ama você quando ninguém mais o ama. Os outros podem abandoná-lo, divorciar-se de você e ignorá-lo, mas Deus vai amá-lo. Sempre. Não importa o que aconteça.

APRENDA A COMPARTILHAR UM AMOR QUE VALE A PENA

Ele ama cada um de nós como se houvesse apenas um de nós para amar.

QUANDO DEUS SUSSURRA O SEU NOME

Deus o ama exatamente da maneira como você é, mas ele se recusa a deixá-lo dessa maneira. Mais do que qualquer outra coisa, ele quer que você seja como Jesus.

Simplesmente como Jesus

Queremos muito estar com aqueles que amamos.

Permita-me lembrá-lo? Deus também. Ele quer muito estar com aqueles que ama. De que outra maneira você explica o que ele fez? Entre ele e nós havia uma distância — um enorme vão. E ele não conseguia suportar. Não aguentava aquilo. Então, ele fez alguma coisa.

Antes de vir à terra, Cristo "tinha a natureza de Deus, mas não tentou ficar igual a Deus. Pelo contrário, ele abriu mão de tudo o que era seu e tomou a natureza de servo, tornando-se assim igual aos seres humanos" (Fp 2.6-7, NTLH).

> Entre [Deus] e nós havia uma distância — um enorme vão. E ele não conseguia suportar. Não aguentava aquilo. Então, ele fez alguma coisa.

Por quê? Por que Jesus viajou para tão longe?

Estava fazendo essa pergunta a mim mesmo quando notei os esquilos do lado de fora da minha janela. Uma família de esquilos de cauda negra fez seu lar no meio das raízes da árvore que fica ao norte do meu escritório. Somos vizinhos há três anos. Eles me veem batucando no teclado. Eu os vejo armazenando sementes e escalando o tronco. Ficamos mutuamente entretidos. Eu poderia olhar para eles o dia inteiro. Às vezes faço isso.

Mas nunca considerei a ideia de me tornar um deles. O mundo dos esquilos não tem nenhum apelo para mim. Quem quer dormir ao lado de um roedor peludo de olhos pequenos e brilhantes? (Não vou comentar sobre as esposas que acham que já fazem isso.) Abrir mão de passear pelas Montanhas Rochosas, pescar, casar e rir em troca de um buraco no chão e uma dieta de nozes sujas? Não conte comigo.

Mas conte com Jesus. Que mundo ele deixou! Nossa mansão mais luxuosa seria o tronco de uma árvore para ele. A comida mais requintada da terra seria uma noz na mesa do céu. E a ideia de se tornar um esquilo com garras, dentes pequenos e uma cauda peluda? Não é nada em comparação a Deus se tornar um embrião unicelular e entrar no ventre de Maria.

Ele fez. O Deus do universo chutou a parede de um útero, nasceu no meio da humildade do campo e passou sua primeira noite no cocho de uma vaca. "Aquele que é a Palavra tornou-se carne e viveu entre nós" (Jo 1.14). O Deus do universo deixou a glória do céu e se mudou para nossa vizinhança. Nossa vizinhança! Quem poderia imaginar que ele faria tal coisa?

Por quê? Porque ele quer muito estar com aqueles a quem ama.

O Salvador mora ao lado

Aproprie-se deste versículo e deixe que ele humilhe você: "Deus é amor" (1Jo 4.16).

Uma palavra desta passagem revela a suprema surpresa do amor de Deus: ele não tem nada a ver com você. Os outros o amam por causa de você, porque suas covinhas aparecem quando você sorri ou porque seu discurso encanta quando você namora. Algumas pessoas o amam por causa de você. Deus não. Ele o ama pelo que ele próprio é. Ele o ama porque decide amar. Gerado por si próprio, sem causa e espontâneo, esse amor contínuo depende da escolha de Deus de concedê-lo. "O SENHOR não se afeiçoou a vocês nem os escolheu por serem mais numerosos do que os outros povos, pois vocês eram o menor de todos os povos. Mas foi porque o SENHOR os amou" (Dt 7.7-8).

Você não influencia o amor de Deus. Você não pode impactar a capacidade da árvore de ser árvore. Você não pode transformar o céu em mais céu do que já é, nem pode fazer com que uma pedra se torne mais pedra. Também não pode afetar o amor de Deus. Se você pudesse, João teria gastado mais tinta: "Deus é amor de vez em quando" ou "um amor *esporádico*" ou "amor *quando faz bom tempo*". Se suas ações alterassem a devoção de Deus, então ele não seria amor; na verdade, ele seria humano, pois o amor humano é assim.

E você já está cansado do amor humano, não é? Muitos rapazes já a cortejaram com a mesma sinceridade de um ator que incorpora um personagem. Muitos jornais lhe dizem que o amor verdadeiro está a apenas uma dieta de distância. Chega de expectativas de chefes, de pais e de pastores, infladas como balões de gás. Chega de manhãs cheirando aos erros que você cometeu na noite anterior enquanto buscava amor.

Você não precisa de uma fonte de amor que não seque? Você a encontrará numa colina pedregosa fora dos muros de Jerusalém onde Jesus está pendurado, preso a uma cruz e coroado com espinhos. Quando não se sentir amado, suba aquele monte. Medite por muito tempo e com profundidade no amor celestial por você.

QUEM TEM SEDE VENHA

ꟊ

O amor de Deus não é humano. Seu amor não é normal. Seu amor vê o seu pecado e o ama mesmo assim. Ele aprova os seus erros? Não. Você precisa se arrepender? Sim. Mas você se arrepende por causa dele ou por sua causa? Por sua causa. O ego dele não precisa se desculpar. O amor dele não precisa se gabar. E ele não poderia amar você mais do que já ama agora.

OUVINDO DEUS NA TORMENTA

Quando lemos João 3.16, simplesmente (e alegremente) lemos "Porque Deus tanto amou o mundo" (Jo 3.16).

Quão vasto é o amor de Deus? Vasto o suficiente para o mundo inteiro. Você está incluído no mundo? Então você está incluído no amor de Deus.

ELE ESCOLHEU OS CRAVOS

Nosso melhor amor é uma aquarela de criança diante do Rembrandt de Deus, um dente de leão de um terreno baldio ao lado da rosa do jardim dele. Seu amor é forte como uma figueira; nossas melhores tentativas se dobram como um salgueiro chorão.

Olhe para a barriga redonda da camponesa grávida em Belém. Deus está ali; o mesmo Deus que pode equilibrar o universo na ponta de seu dedo flutua no ventre de Maria. Por quê? Amor.

Dê uma espiada pela janela da carpintaria de Nazaré. Vê o jovem magrelo varrendo a serragem do chão? Ele já soprou poeira estelar no céu noturno. Por que trocar os céus por uma carpintaria? Uma resposta: amor.

O amor explica por que ele veio.
O amor explica como ele suportou.

3:16 — A mensagem de Deus para a vida eterna

Graça

UM PRESENTE ALÉM DE TODAS AS EXPECTATIVAS

Escute. Você não foi borrifado pelo perdão. Você não foi salpicado pela graça. Você não foi polvilhado pela bondade. Você foi imerso nela. Você está coberto pela misericórdia. Você é um peixinho no oceano da misericórdia de Deus. Deixe que ela o transforme!

APRENDA A COMPARTILHAR UM AMOR QUE VALE A PENA

"Portanto, aceitem-se uns aos outros, da mesma forma que Cristo os aceitou, a fim de que vocês glorifiquem a Deus" (Rm 15.7).

Por acaso Deus está pedindo para fazermos alguma coisa além daquilo que ele próprio já fez? Ele não fez muito em aceitar-nos? Se Deus pode tolerar meus erros, por que não posso tolerar os erros dos outros? Se, mesmo com meus erros e falhas, Deus me permite chamá-lo de Pai, não deveria eu estender a mesma graça aos outros? Na realidade, quem pode oferecer graça senão aqueles que estão seguros nas garras da graça?

NAS GARRAS DA GRAÇA

"Limonada, 5 centavos."

O "i" está maior que o "L". O "m" está em maiúscula; todas as outras letras estão em minúsculas. As duas últimas letras, "da", estão curvadas para baixo porque a artista ficou sem espaço na placa.

Duas meninas sentadas na calçada, em cadeiras pequenas, atrás de uma grande mesa. A de 6 anos é o caixa. Ela monitora uma tigela plástica com alguns trocados. A menina de 4 anos é a garçonete. Ela pega o gelo. Enche o copo. Empilha e reempilha os copos de papel.

Atrás delas, sentado na grama, está o papai. Recostado num carvalho, ele sorri enquanto testemunha a entrada das filhas no mundo do capitalismo.

Os negócios vão bem. A corrente de benfeitores da tarde de sábado praticamente esvaziou a jarra. O fundo do caixa-tigela está coberto por 35 centavos trocados. Com exceção de uns poucos respingos, o serviço foi excepcional. Nenhuma reclamação. Muitos elogios.

Parte do sucesso, porém, deveu-se à estratégia de *marketing*.

Nossa rua não tem muito tráfego, de modo que fizemos um pequeno anúncio. Enquanto minhas filhas pintavam a placa, liguei para várias famílias da vizinhança e os convidei para a grande inauguração de nossa barraca de limonada. Desse modo, todos os nossos clientes, até aquele momento, foram pessoas conhecidas.

Estava orgulhoso de mim. Apoiei as costas na árvore. Fechei os olhos. Liguei o rádio que havia trazido. Fiquei escutando o jogo de beisebol.

Então ouvi uma voz desconhecida.

— Um copo de limonada, por favor.

Abri os olhos. Era um cliente. Um cliente de verdade. Um vizinho não convidado que estava passando, viu a placa, parou e pediu uma bebida.

"Oh, oh", pensei. Nosso serviço está prestes a ser testado.

Andrea, a garota de 4 anos, pegou um copo que já havia sido usado.

— Pegue um copo limpo — sussurrei.

— Oh — deu uma risadinha, e pegou um copo limpo.

Ela abriu o balde de gelo, olhou para dentro e, então, olhou de volta para mim.

— Papai, não temos mais gelo.

O freguês ouviu a conversa.

— Tudo bem, vou levar quente mesmo.

Ela pegou a jarra e encheu o copo. Açúcar melado escorreu pela jarra.

— Papai, só tem um pouquinho.

Nosso cliente falou outra vez.

— Tudo bem, não quero muito.

"Espero que você goste de limonada bem doce", falei comigo mesmo.

Ela entregou o copo ao homem e ele lhe deu um dólar. Ela o deu a Jenna.

Jenna virou-se para mim e disse:

— Papai, o que eu faço? — não estávamos acostumados a receber notas grandes.

Enfiei as mãos nos meus bolsos; estavam vazios.

— Puxa, não temos nenhum... — comecei a dizer.

— Não há problema — disse ele, sorrindo. — Podem ficar com o troco.

Sorri meio acanhado. Ele agradeceu às meninas. Disse-lhes que elas estavam fazendo um ótimo trabalho. Entrou no carro. E foi embora.

"Que negócio", pensei eu. "Nós lhe damos meio copo de limonada quente e doce e ele nos faz um elogio e paga vinte vezes mais."

Eu havia me proposto a dar uma aula de livre iniciativa para as meninas. Elas acabaram tendo uma lição de graça.

UM DIA NA VIDA DE JESUS

A confiança de Deus nos deixa ansiosos para fazer o que é certo. Essa é a genialidade da graça. A lei pode nos mostrar onde estamos errando, mas não pode nos deixar ansiosos para fazer o que é certo. A graça pode.

NAS GARRAS DA GRAÇA

Deus não nos dá um banho de esponja. Ele nos lava da cabeça aos pés. Paulo refletiu sobre sua conversão e escreveu: "Ele nos limpou, e saímos daquela situação como um povo especial, purificados por dentro e por fora pelo Espírito Santo" (Tt 3.5, AM). Seus pecados não têm chance contra o hidrante da graça de Deus.

O SALVADOR MORA AO LADO

O que você faz se estiver totalmente sem dinheiro? O que faz se não tiver nada para depositar a não ser uma desculpa honesta e boas intenções? Você ora pedindo que alguma alma rica faça um enorme depósito em sua conta. Se você estiver falando sobre seu débito financeiro, é provável que isso não aconteça. Se estiver falando sobre seu débito espiritual, porém, isso já aconteceu.

Seu Pai já cobriu seu déficit.

Ainda que você tenha passado uma vida inteira preenchendo cheques sem fundo, Deus já imprimiu estas palavras no seu extrato: Minha graça é suficiente para você.

A GRANDE CASA DE DEUS

Às vezes eu distribuo dinheiro no final do sermão. Não para pagar os ouvintes (embora alguns possam achar que merecem receber), mas como ilustração. Ofereço um dólar a qualquer pessoa que o aceite. Dinheiro grátis. Um presente. Convido qualquer um que queira o dinheiro que venha até a frente e pegue.

A reação é previsível. Uma pausa. Alguns pés se movem. Uma esposa dá um cutucão no marido, e ele chacoalha a cabeça. Uma adolescente começa a se levantar e então se lembra de sua reputação. Um menino de 5 anos começa a andar pelo corredor e é puxado de volta pela mãe. Finalmente, alguma alma corajosa (ou pobre) se levanta e diz: "Eu aceito!". O dólar é entregue, e a aplicação começa.

"Por que vocês não aceitaram a minha oferta?", pergunto aos demais. Alguns dizem que ficaram envergonhados demais. A dor não valia o ganho. Outros tinham medo de uma pegadinha, de um trote. E existem aqueles cuja carteira está recheada. O que é um dólar para quem tem milhares?

Depois, a pergunta óbvia se segue: "Por que as pessoas não aceitam o presente gratuito de Cristo?". As respostas são similares. Alguns ficam envergonhados demais. Aceitar perdão é admitir o pecado, um passo que somos lentos em dar. Outros temem uma pegadinha, um trote. Certamente há alguma multa prescrita na Bíblia. Outros pensam: "Quem precisa de perdão se é tão bom quanto eu?".

O ponto é autoexplicativo. Embora a graça esteja disponível a todos, ela é aceita por poucos. Muitos optam por se sentar e esperar, enquanto alguns poucos optam por levantar e confiar.

> Embora a graça esteja disponível a todos, ela é aceita por poucos.

Normalmente esse é o final. A lição acabou, estou um dólar mais pobre, uma pessoa está um dólar mais rica e todos nós estamos um pouco mais sábios. Contudo, aconteceu uma coisa há algumas semanas que acrescentou uma nova dimensão ao exercício. Myrtle foi uma das pessoas que disse sim ao dólar. Fiz a oferta e estava esperando um voluntário quando ela gritou "Eu aceito!". Levantou-se num salto e correu para frente, quando lhe entreguei o dólar. Ela pegou e se sentou. Fiz a aplicação e todos nós fomos para casa.

Encontrei-me com ela alguns dias depois e brinquei com a ideia de ganhar dinheiro com meus sermões.

— Você ainda tem o dólar? — perguntei.

— Não.

— Você o gastou?

— Não, dei para outra pessoa — respondeu ela. — Quando voltei para o meu lugar, um jovem me perguntou se podia ficar com ele e eu disse: "Claro, foi um presente para mim; será um presente para você".

Uau, isso não é impressionante? Tão simplesmente quanto havia recebido, ela o deu. Tão facilmente quanto veio, ele foi. O garoto não implorou e ela não impôs dificuldade. Como ela, que havia recebido um presente, não poderia dar um presente em troca? Ela foi pega nas garras da graça.

É possível que alguém que tenha recebido um presente não compartilhe esse presente com outras pessoas? Creio que sim. Mas que essa pessoa se lembre de Myrtle. Que seja lembrada que, como Myrtle, ela recebeu um presente. Que essa pessoa lembre que tudo na vida é um presente da graça. E que essa pessoa lembre que o chamado da graça é para viver uma vida graciosa.

Pois é assim que a graça funciona.

NAS GARRAS DA GRAÇA

Nunca fui surpreendido pelo julgamento de Deus, mas ainda estou surpreso com sua graça.

QUANDO DEUS SUSSURRA O SEU NOME

O que é, então, que Deus deseja que façamos? Qual é a obra que ele busca? Apenas crer. Crer naquele que ele enviou. "Jesus respondeu: 'A obra de Deus é esta: crer naquele que ele enviou'" (Jo 6.29).

Alguém pode estar lendo isso e balançando a cabeça, perguntando: "Você está dizendo que é possível ir para o céu sem boas obras?". A resposta é não. As boas obras são um requisito. Outra pessoa está lendo e perguntando: "Você está dizendo que é possível ir para o céu sem um bom caráter?". Minha resposta mais uma vez é não. Bom caráter também é uma exigência. Para entrar no céu é preciso ter boas obras e bom caráter.

Mas, veja só, existe um problema: você não tem nenhum dos dois.

Oh, é claro que você fez algumas coisas legais na vida. Mas você não tem boas obras suficientes para ir para o céu, seja qual for o seu sacrifício. Não importa quão nobres sejam os seus talentos; eles não são o bastante para fazer você entrar no céu.

Você também não tem caráter suficiente para entrar no céu. Por favor, não se ofenda. (Ou, de novo, ofenda-se, se necessário.) Você provavelmente é uma pessoa bastante decente. Mas decência não basta. Os que veem a Deus não são os decentes; são os santos. "Aquele que não é santo não verá o Senhor" (Hb 12.14, NBV).

Você pode ser decente. Pode pagar impostos, beijar seus filhos e dormir com a consciência limpa. Mas, longe de Cristo, você não é santo. Assim, como você pode ir para o céu? Deve apenas crer.

Aceitar a obra que já foi realizada, a obra de Cristo sobre a cruz.

Apenas crer.

Aceitar a bondade de Jesus Cristo. Abandonar suas próprias obras e aceitar a dele. Abandonar sua própria decência e aceitar a dele. Colocar-se diante de Deus em nome de Jesus, não em seu próprio nome. "Quem crer e for batizado será salvo, mas quem não crer será condenado" (Mc 16.16).

> A cruz foi pesada, o sangue foi real e o preço foi absurdo.

É simples assim? É simples assim. É assim tão fácil? Não houve nada de fácil em relação a isso. A cruz foi pesada, o sangue foi real e o preço foi absurdo. Eu e você teríamos ido à falência, de modo que ele pagou por nós. Chame isso de simples. Chame de presente. Mas não chame de fácil.

Chame do que é. Chame de graça.

OUVINDO DEUS NA TORMENTA

ꙮ

Não devemos enxergar a graça como uma provisão feita depois de a lei ter fracassado. A graça foi oferecida antes de a lei ser revelada. De fato, a graça foi oferecida antes de o homem ter sido criado!

> Deus pagou um resgate para livrar vocês do caminho que seus antepassados tentaram seguir para chegar ao céu, e o resgate que ele pagou não foi simples ouro ou prata, como vocês sabem muito bem, mas o precioso sangue de Cristo, como de um cordeiro sem defeito e sem mancha. Deus o escolheu para esse propósito muito antes da criação do mundo, mas ele manifestou isso publicamente, nestes últimos dias, como uma bênção para vocês.
>
> 1Pedro 1.18-20, NBV

Por que Deus ofereceria graça antes de precisarmos dela? Que bom que você perguntou. Vamos voltar pela última vez ao cartão pré-pago que meu pai me deu. Já mencionei que passei vários meses sem precisar dele? Mas quando precisei, eu *realmente* precisei. Sabe, eu queria visitar um amigo em outra universidade. Na verdade, o amigo era uma moça de outra cidade, distante seis horas dali. Num impulso, matei as aulas da sexta-feira e saí. Sem saber se meus pais aprovariam, não pedi a permissão deles. Como saí com pressa, esqueci-me de pegar dinheiro. Fiz a viagem sem o conhecimento deles e com uma carteira vazia.

Tudo foi muito bem até que bati na traseira de um carro na viagem de volta. Usando um pé de cabra, soltei o para-choque da roda da frente de modo que o carro pudesse ser empurrado até um posto de gasolina. Ainda me lembro do telefone público que usei no frio do outono. Meu pai, que achava que eu estava no *campus*, aceitou minha ligação a cobrar e ouviu minha narrativa. Não havia muita coisa do que me orgulhar na minha história. Eu havia viajado sem o conhecimento dele, sem nenhum dinheiro, e ainda bati o carro.

"Bem", disse ele, depois de uma longa pausa, "essas coisas acontecem. É por isso que lhe dei o cartão. Espero que você tenha aprendido a lição".

Aprendi a lição? Certamente que sim. Aprendi que o perdão do meu pai antecedeu meu erro. Ele me dera o cartão antes da batida, na eventualidade de que alguma coisa pudesse acontecer. Ele havia se prevenido em relação ao meu erro antes que eu o cometesse. Preciso dizer que Deus fez o mesmo? Por favor, entenda: meu pai não queria que eu batesse o carro. Ele não me deu o cartão *para que* eu pudesse bater o carro. Mas ele conhecia seu filho. E ele sabia que seu filho um dia precisaria de graça.

Por favor, entenda: Deus não deseja que pequemos. Ele não nos deu a graça *para que* pecássemos. Mas ele conhece seus filhos. "[Deus] forma o coração de todos, [...] conhece tudo o que fazem" (Sl 33.15). "Ele sabe do que somos formados" (Sl 103.14). E ele sabe que, um dia, precisaríamos de sua graça.

Nas garras da graça

Separando você de Deus não existem 120 metros de águas oceânicas, mas um incalculável dilúvio de imperfeição e pecado. Você acha que, graças à sua musculatura moral, você pode levar esse barco até a superfície? Você acha que seu batismo e sua frequência dominical serão suficientes para salvá-lo?

Os legalistas acham. Eles não entendem a gravidade do problema. Ao se oferecerem para ajudar, eles não apenas desprezam o pecado, como também zombam de Deus.

Quem olharia para a cruz de Cristo e diria: "Bom trabalho, Jesus. Que pena que não pôde concluí-lo, mas eu vou compensar a falha"?

Ousamos questionar a obra suprema de Deus? Ousamos pensar que os céus precisam de nossa ajuda para nos salvar? Estamos presos no fundo do oceano. Não conseguimos ver a luz do dia! O legalismo reduz Deus e, no processo, nos confunde.

Para qualquer um que tente ganhar o céu, Paulo pergunta: "Como é que estão voltando àqueles mesmos princípios elementares, fracos e sem poder? Querem ser escravizados por eles outra vez? Que aconteceu com a alegria de vocês?" (Gl 4.9,15).

O legalismo não tem alegria porque é infindável. Sempre há outra classe a frequentar, uma pessoa a ensinar, uma boca a alimentar. Os presidiários encarcerados na autossalvação encontram obras, mas nunca alegria. Como poderiam? Eles nunca sabem quando terminaram. O legalismo elimina a alegria.

A graça, porém, concede paz.

Isto não é para mim

Céu

A felicidade que está adiante

Logo estarei em casa. Meu avião está se aproximando de San Antonio. Posso sentir o nariz do avião se inclinando para baixo. Posso ver os comissários de bordo se arrumando. Denalyn está em algum lugar do estacionamento, parando o carro e empurrando as meninas pelo terminal.

Logo estarei em casa. O avião vai aterrissar. Descerei aquela rampa, ouvirei meu nome e verei o rosto delas. Logo estarei em casa.

Você também estará logo em casa. Talvez você não tenha notado, mas está mais perto de casa do que nunca. Cada momento é um passo dado. Cada respiração é uma página virada. Cada dia é uma milha assinalada, uma montanha escalada. Você está mais perto de casa do que jamais esteve.

Antes de poder perceber, será a hora marcada para sua chegada. Você descerá a rampa e entrará na Cidade.

Você verá rostos que esperam por você. Ouvirá seu nome dito por aqueles que o amam. E, talvez, apenas talvez — no fundo, atrás da multidão — Aquele que preferiu morrer a viver sem você tirará as mãos perfuradas de sua veste celestial e... aplaudirá.

O aplauso do céu

Uma coisa é certa. Quando chegarmos ao céu, ficaremos surpresos com algumas pessoas que encontraremos ali. E alguns se surpreenderão por nos ver.

QUANDO DEUS SUSSURRA O SEU NOME

Existe uma história contada no Brasil sobre um missionário que descobriu uma tribo indígena numa parte remota da floresta. Os índios viviam perto de um grande rio. A tribo era amigável e necessitava de ajuda médica. Uma doença contagiosa estava dizimando a população e pessoas morriam diariamente. Havia uma enfermaria localizada em outra parte da floresta e o missionário imaginou que a única esperança para a tribo era ir até o hospital para receber tratamento e vacinação. Para chegar ao hospital, porém, os índios teriam de cruzar o rio — uma façanha que eles não estavam dispostos a realizar.

O rio, acreditavam eles, era habitado por espíritos do mal. Entrar na água significava morte certa. O missionário se propôs a realizar a difícil tarefa de superar superstição da tribo.

Ele explicou que havia cruzado o rio e que chegara são e salvo. Não teve sorte. Levou as pessoas até a margem e colocou a mão na água. As pessoas ainda não acreditavam nele. Ele jogou água no rosto. As pessoas assistiram com atenção, mas continuavam hesitantes. Finalmente, ele se virou e mergulhou na água. Nadou perto da superfície até que surgiu do outro lado.

Tendo provado que o poder do rio era uma farsa, o missionário ergueu um punho triunfante no ar. Ele havia entrado na água e sobrevivido. Os índios começaram a gritar e o seguiram na travessia.

Jesus viu as pessoas escravizadas pelo medo que tinham de um poder barato. Ele explicou que elas não precisavam temer o rio da morte. As pessoas não acreditavam nele. Ele tocou um menino e o chamou de volta à vida. Os seguidores ainda não haviam se convencido. Ele sussurrou vida ao corpo morto de uma menina. As pessoas ainda estavam céticas. Ele deixou um homem morto passar quatro dias numa sepultura e, então, chamou-o para fora. Foi suficiente? Ao que parece, não. Pois foi necessário que ele entrasse no rio, que submergisse na água da morte para que as pessoas cressem que a morte fora vencida.

Foi necessário que ele entrasse no rio, que submergisse na água da morte para que as pessoas cressem que a morte fora vencida.

Mas, depois de ter feito isso, depois de sair do outro lado do rio da morte, era hora de cantar, era hora de comemorar.

SEIS HORAS DE UMA SEXTA-FEIRA

O temor da morte cessa quando você sabe que o céu é o seu verdadeiro lar. Em todas as minhas viagens aéreas nunca vi um passageiro chorar assim que o avião pousou. Nunca. Ninguém se agarra ao braço do assento e implora "Não me tirem daqui. Não me tirem daqui. Deixem-me ficar e comer mais amendoim". Estamos dispostos a sair porque o avião não tem um endereço postal permanente. Este mundo também não. "Mas a nossa pátria está no céu, com o nosso Salvador, o Senhor Jesus Cristo; e nós estamos aguardando esperançosos a sua volta" (Fp 3.20, NBV).

QUEM TEM SEDE VENHA

A infelicidade na terra desenvolve uma fome pelo céu. Ao nos agraciar com uma profunda insatisfação, Deus chama nossa atenção. A única tragédia, portanto, é satisfazer-se prematuramente. É conformar-se com a terra. É estar contente numa terra estranha. É realizar um casamento misto com os babilônios e esquecer-se de Jerusalém.

Não somos felizes aqui porque não estamos em casa neste lugar. Não estamos felizes aqui porque não devemos ficar felizes neste lugar. Somos "como estrangeiros e peregrinos no mundo" (1Pe 2.11).

Pegue um peixe e coloque-o na areia. (Meus agradecimentos a Landon Saunders por essa ideia.)

Veja as guelras arfarem e as escamas secarem. Ele está feliz? Não! Como você pode fazê-lo feliz? Cobrindo-o com uma montanha de dinheiro? Dando-lhe uma cadeira de praia e óculos de sol? Entregando-lhe uma revista *Playpeixe* e um Martini? Dando-lhe barbatanas dupla face e sapatos de pele de gente?

Claro que não. Então, como fazê-lo feliz? Você o coloca de volta em seu elemento. Você o coloca de volta na água. Ele nunca será feliz na areia simplesmente porque não foi feito para a areia.

E você nunca estará feliz por completo na terra simplesmente porque você não foi feito para a terra. Sim, você terá seus momentos de alegria. Você terá vislumbres da luz. Você conhecerá momentos ou até mesmo dias de paz. Mas eles simplesmente não se comparam com a felicidade que está adiante.

QUANDO DEUS SUSSURRA O SEU NOME

Ao nos chamar para casa, Deus está fazendo o que qualquer pai do mundo faria. Está providenciando um lugar melhor para descanso. Um lugar que ele "preparou para nós". O céu não é produzido em massa; é feito sob medida.

Algum tempo atrás dei-me o luxo de encomendar duas camisas em um alfaiate. Escolhi o tecido. O alfaiate tirou as medidas. Várias semanas depois, recebi duas camisas feitas especialmente para mim. Existe uma enorme diferença entre essas duas camisas e as outras que tenho no guarda-roupa. As camisas feitas sob medida foram feitas tendo a mim em mente. As outras foram feitas para as centenas de milhares de homens do meu tamanho. Mas não aquelas duas. Elas foram feitas só para mim.

Como resultado, elas servem! Não ficam largas. Não apertam. Elas simplesmente se ajustam. Assim é a promessa do céu. Ele foi feito tendo cada um de nós em mente. Numa passagem da Bíblia Jesus no convida a receber "como herança o Reino que lhes foi preparado desde a criação do mundo" (Mt 25.34).

O problema com este mundo é que ele não serve. Sim, serve por enquanto, mas não é feito sob medida. Fomos feitos para viver com Deus, mas, na terra, vivemos pela fé. Fomos feitos para viver para sempre, mas, nesta terra, vivemos apenas por um momento. Fomos feitos para viver vidas santas, mas este mundo está manchado pelo pecado.

Este mundo veste como uma camisa emprestada. O céu, porém, cairá como uma roupa sob medida.

Ouvindo Deus na tormenta

"Olho nenhum viu, ouvido nenhum ouviu, mente nenhuma imaginou o que Deus preparou para aqueles que o amam" (1Co 2.9).

Que versículo de tirar o folego! Você entende o que ele está dizendo? *O céu está além da nossa imaginação.* Não podemos imaginá-lo. No nosso momento mais criativo, no nosso pensamento mais profundo, no nosso nível mais elevado, ainda não podemos entender a fundo o que é a eternidade.

Tente. Imagine um mundo perfeito. Seja o que for que isso signifique para você, imagine. Significa paz? Então imagine a tranquilidade absoluta. Um mundo perfeito envolve alegria? Então crie sua maior felicidade. Um mundo perfeito terá amor? Se tiver, reflita sobre um lugar onde o amor não tem limites. Seja o que for que o céu signifique para você, imagine. Fixe nele sua mente. Deleite-se nele. Sonhe com ele. Deseje-o.

Depois, sorria enquanto o Pai faz que você se lembre de que *ninguém jamais imaginou o que Deus tem preparado para aqueles que o amam.*

Qualquer coisa que você imaginar é inadequada. Qualquer coisa que qualquer pessoa imaginar é inadequada. Ninguém chegou perto. Ninguém. Pense em todas as músicas sobre o céu. Todos os retratos pintados por artistas. Todas as lições pregadas, os poemas escritos e os capítulos esboçados.

Quando se trata de descrever o céu, somos todos felizes fracassos.

QUANDO DEUS SUSSURRA O SEU NOME

O terremoto da Armênia em 1989 precisou de apenas quatro minutos para devastar a nação e matar trinta mil pessoas. Momentos depois de o tremor mortal ter cessado, um pai correu até uma escola primária para salvar seu filho. Quando chegou, viu que o prédio havia desmoronado. Olhando para a massa de pedras e entulho, ele se lembrou de uma promessa que fizera a seu filho: "Não importa o que acontecer, sempre estarei ao seu lado". Levado por sua própria promessa, ele encontrou a área mais próxima da sala de seu filho e começou a retirar as pedras. Outros pais chegaram e começaram a chorar por seus filhos. "É tarde demais", disseram ao homem. "Você sabe que eles estão mortos. Você não pode ajudar." Até mesmo um policial o incentivou a desistir.

Mas o pai se recusou. Por 8 horas, depois 16, 32, 36 horas ele cavou. Suas mãos estavam em carne viva e sua energia se fora, mas ele se recusava a desistir. Finalmente, depois de 38 dolorosas horas, ele empurrou uma pedra para trás e ouviu a voz de seu filho. Ele disse o nome de seu filho:

— Arman! Arman! — e uma voz respondeu:

— Papai, sou eu!

Então o menino acrescentou estas palavras sem preço:

— Eu disse aos outros meninos que não deviam se preocupar. Eu disse que se você estivesse vivo, você me salvaria, e quando você me salvasse, eles também seriam salvos. Porque você prometeu: "Não importa o que acontecer, sempre estarei ao seu lado".[5]

Deus nos fez a mesma promessa. "Eu voltarei...", nos garante ele. Sim, as pedras cairão. Sim, o chão tremerá. Mas o filho de Deus não precisa temer, pois o Pai prometeu nos levar para estar com ele.

> Mas o filho de Deus não precisa temer, pois o Pai prometeu nos levar para estar com ele.

Uma vez que podemos aceitar a história da ressurreição, é seguro aceitar o restante da história.

Por causa da ressurreição, tudo muda.

A morte muda. Ela costumava ser o final; agora, é o início.

O cemitério muda. As pessoas iam até lá para dizer adeus; agora vão para dizer "Estaremos juntos outra vez".

Até o caixão muda. A urna fúnebre não é mais uma caixa onde escondemos corpos, mas um casulo no qual o corpo é mantido até que Deus o liberte para voar.

E um dia, de acordo com Cristo, ele nos libertará. Ele voltará. "Voltarei e os levarei para mim" (Jo 14.3). E para provar que estava falando sério quando prometeu, a pedra foi rolada e seu corpo foi ressuscitado.

Pois ele sabe que, algum dia, este mundo tremerá de novo. Num piscar de olhos, tão rápido quanto um relâmpago brilha do oriente ao ocidente, ele voltará. E todo o mundo o verá — você verá, eu verei. Corpos empurrarão a terra e romperão a superfície do mar. A terra vai tremer, o céu vai roncar e aqueles que não o conhecem vão tremer. Mas naquela hora você não temerá, porque o conhece.

Pois você, como o menino na Armênia, ouviu a promessa de seu Pai. Você sabe que ele removeu a pedra — não a pedra do terremoto da Armênia, mas a pedra da tumba de Arimateia. E no momento em que ele removeu a pedra, ele também removeu toda razão para dúvida. E nós, como o menino, podemos crer nas palavras de nosso Pai: "Voltarei e os levarei para mim, para que vocês estejam onde eu estiver" (Jo 14.3).

QUANDO CRISTO VOLTAR

O céu é um lugar perfeito de pessoas aperfeiçoadas juntas de nosso perfeito Senhor.

3:16 — A MENSAGEM DE DEUS PARA A VIDA ETERNA

Quando minhas filhas eram menores, desfrutávamos de muitas tardes alegres na piscina. Como todos nós, elas tiveram de superar seus medos para nadar. Um dos últimos medos que elas tiveram de enfrentar foi o medo da profundidade. Uma coisa é nadar na superfície; outra é mergulhar até o fundo. O que quero dizer é: quem sabe que tipo de dragões e serpentes habitam as profundezas de uma piscina de dois metros de profundidade? Você e eu sabemos que não há mal a temer, mas uma criança de seis anos não. Uma criança tem o mesmo sentimento em relação à profundidade que você e eu temos em relação à morte. Não temos certeza do que nos espera lá embaixo.

Não queria que minhas filhas tivessem medo do fundo, de modo que brinquei de baleia Shamu[6] com cada uma delas. Minha filha seria a treinadora. Eu seria Shamu. Ela apertava o nariz e colocava os braços ao redor do meu pescoço e, então, íamos para o fundo. Fundo, fundo, fundo, até tocar o chão da piscina. Então voltávamos, furando a superfície. Depois de vários mergulhos elas perceberam que não havia nada a temer. Elas não temiam nenhum mal. Por quê? Porque eu estava com elas.

Quando Deus nos chamar para o profundo vale da morte, ele estará conosco. Ousaríamos pensar que ele nos abandonaria no momento da morte? Um pai forçaria seu filho a nadar fundo sozinho? O pastor exigiria que seu rebanho viajasse pelas montanhas sozinho? É claro que não. Deus exigiria que seus filhos fossem para a eternidade sozinhos? Absolutamente não! Ele está com você!

ALIVIANDO A BAGAGEM

O que impede as pessoas de se relacionarem diretamente com Deus? O pecado. Se o céu promete um relacionamento direto com Deus, o que está faltando no céu? Você entendeu, benzinho.

O pecado. O céu não terá pecado. Tanto a morte quanto o pecado serão coisas do passado.

Isso é grande coisa? Penso que sim. Antes tentamos imaginar um mundo sem morte; vamos fazer o mesmo com o pecado. Você consegue imaginar um mundo sem pecado? Já fez alguma coisa recentemente por causa do pecado?

Você no mínimo reclamou. Você se preocupou. Resmungou. Reteve quando deveria ter compartilhado. Afastou-se quando deveria ter ajudado. Pensou duas vezes e se escondeu. Mas você não fará isso no céu.

Por causa do pecado, você rompeu com aqueles a quem ama e discutiu com aqueles a quem aprecia. Você se sentiu envergonhado, culpado, amargurado. Você tem úlceras, noites de insônia, dias nublados e uma dor no pescoço. Mas não terá nada disso no céu.

> Você pode imaginar um mundo sem pecado? Se pode, então pode imaginar o céu.

Por causa do pecado, jovens sofrem abusos e idosos são esquecidos. Por causa do pecado, Deus é amaldiçoado e as drogas são adoradas. Por causa do pecado, o pobre tem menos e o rico quer mais. Por causa do pecado, bebês não têm pais e maridos não têm esposas. Mas no céu o pecado não terá poder; na verdade, o pecado não terá presença. Não haverá pecado.

O pecado provocou milhares de dores de cabeça e quebrou milhões de promessas. Seu vício pode ser rastreado até o pecado. Sua desconfiança pode ser rastreada até o pecado. Intolerância, roubo, adultério — tudo por causa do pecado. Mas no céu tudo isso terá fim.

Você pode imaginar um mundo sem pecado? Se pode, então você pode imaginar o céu.

QUANDO CRISTO VOLTAR

ꕤ

Esta não é nossa casa eterna. Ela serve por enquanto. Mas não há nada semelhante ao momento em que entrarmos pelas portas da casa dele.

Molly pode lhe dizer. Depois de um mês em nossa casa, ela fugiu. Cheguei em casa certa noite e encontrei o lugar quieto demais. Molly havia fugido.

Ela escapou sem ser notada. A busca começou imediatamente. Depois de uma hora, entendemos que ela estava muito, muito longe de casa. Ora, se você não gosta de animais de estimação, o que estou prestes a dizer vai soar estranho. Se você gosta, vai entender.

Esta não é nossa casa eterna. Ela serve por enquanto. Mas não há nada semelhante ao momento em que entrarmos pelas portas da casa dele.

Vai entender por que caminhamos para cima e para baixo pela rua, chamando o nome dela. Vai entender por que coloquei um cartaz na loja de conveniência e reuni a família para uma oração. (É serio, fiz isso mesmo.) Vai entender por que enviei e-mails para minha equipe, pedindo oração, e para o dono do canil, pedindo conselho. E você vai entender por que estávamos prontos para jogar confete e festejar quando ela apareceu.

Veja o que aconteceu. Na manhã seguinte, Denalyn estava voltando para casa depois de deixar as meninas na escola quando viu o caminhão de lixo. Ela pediu aos funcionários que ficassem de olho para ver se encontravam Molly e depois correu para casa para receber um grupo de oração de mães. Pouco depois de as senhoras chegarem, o caminhão de lixo encostou na nossa garagem; um funcionário abriu a porta e entregou nossa cadela. Ela fora encontrada.

Quando Denalyn ligou para contar a novidade, mal pude escutar a voz dela. Era um verdadeiro carnaval na cozinha. As senhoras estavam comemorando o retorno de Molly.

Esta história está repleta de simbolismo. O dono deixando sua casa em busca do perdido. Vitórias no meio da oração. Grandes coisas surgindo a partir do lixo. Mas a principal é: a festa pela chegada ao lar. Isto é outra coisa que você tem em comum com Molly: uma festa na sua chegada.

Aqueles que você ama vão gritar. Aqueles que você conhece vão aplaudir. Mas todo som cessará quando Deus segurar o seu queixo e disser: "Bem-vindo ao lar".

3:16 — A MENSAGEM DE DEUS PARA A VIDA ETERNA

O que acontecerá quando você vir Jesus?

Você verá a pureza imaculada e a força irredutível. Você sentirá a presença eterna dele e conhecerá sua proteção inabalável. E tudo o que ele é você também será, pois você será como Jesus. Não é essa a promessa de João? "Sabemos que, quando ele se manifestar, seremos semelhantes a ele, pois o veremos como ele é" (1Jo 3.2).

Uma vez que você será puro como a neve, nunca pecará outra vez.

Uma vez que você será forte como o bronze, nunca tropeçará outra vez.

Uma vez que você habitará perto do rio, nunca se sentirá sozinho outra vez.

Uma vez que a obra do sacerdote estará concluída, você nunca duvidará outra vez.

Quando Cristo voltar, você habitará na luz de Deus. E você o verá como ele realmente é.

QUANDO CRISTO VOLTAR

De todas as bênçãos do céu, uma das maiores será você! Você será a obra magna de Deus, sua obra-prima. Os anjos vão suspirar. A obra de Deus estará completa. Finalmente você terá um coração como o dele.

Você amará com um amor perfeito.

Você adorará com uma face radiante.

Você ouvirá cada palavra que Deus falar.

Seu coração será puro, suas palavras serão como joias, seus pensamentos serão como tesouros.

Você será igual a Jesus. Finalmente, você terá um coração como o dele. Imagine o coração de Jesus e você estará imaginando o seu próprio coração. Sem culpa. Sem medo. Animado e alegre. Adorando incansavelmente. Possuidor de discernimento impecável. Como a fonte da montanha é intocada e infindável, assim será o seu coração. Você será como ele.

E se isso já não fosse suficiente, todas as demais pessoas serão como ele também. O céu é povoado por aqueles que permitem que Deus os transforme. As discussões cessarão, pois não existirá ciúme. As desconfianças não surgirão, pois não haverá segredos. Todo pecado terá desaparecido. Toda insegurança será esquecida. Todo medo será passado. Trigo puro. Sem ervas daninhas. Ouro puro. Nenhuma mistura. Amor puro. Nenhuma cobiça. Esperança pura. Nenhum temor. Não é à toa que os anjos se regozijam quando um pecador se arrepende; eles sabem que outra obra de arte em breve alegrará a galeria de Deus. Eles sabem o que o céu reserva.

SIMPLESMENTE COMO JESUS

Apesar de tudo o que não sabemos sobre a próxima vida, uma coisa é certa. O dia em que Cristo voltar será um dia de recompensa. Aqueles que passaram despercebidos na terra serão reconhecidos no céu. Aqueles que nunca ouviram a aclamação dos homens ouvirão a alegria dos anjos. Aqueles que perderam a bênção de um pai ouvirão a bênção de seu Pai celestial. O pequeno será grande. O esquecido será lembrado. O desconhecido será coroado e o fiel será honrado.

QUANDO CRISTO VOLTAR

Esperança

Absurda dependência de Deus

> Finalmente, irmãos, tudo o que for verdadeiro, tudo o que for nobre, tudo o que for correto, tudo o que for puro, tudo o que for amável, tudo o que for de boa fama, se houver algo de excelente ou digno de louvor, pensem nessas coisas.
>
> Filipenses 4.8

Isso é mais do que enxergar o lado bom de uma situação desesperadora, mais do que ver um copo como meio cheio em vez de um copo meio vazio. É admitir que forças invisíveis favoráveis povoam e direcionam as questões da humanidade. Quando vemos da maneira que Deus quer, contemplamos a mão do céu no meio da doença, o Espírito Santo confortando um coração partido. Vemos não o que é visto, mas o que é invisível. Vemos com a fé, e não com a carne e, uma vez que a fé gera esperança, nós, entre todas as pessoas, somos cheios de esperança. Pois sabemos que há mais coisas na vida do que o que olho alcança.

Todo dia é um dia especial

"Não andem ansiosos por coisa alguma, mas em tudo, pela oração e súplicas, e com ação de graças, apresentem seus pedidos a Deus" (Fp 4.6).

Não meça o tamanho da montanha; fale com aquele que pode movê-la. Em vez de carregar o mundo em seus ombros, converse com aquele que sustenta o universo nos dele. A esperança está à distância de um olhar.

Ora, para o que você estava olhando?

ALIVIANDO A BAGAGEM

É uma das narrativas mais tocantes das Escrituras. Tão fascinante é a cena que, de fato, Lucas optou por registrá-la em detalhes.

Dois discípulos estão caminhando por uma estrada empoeirada na direção da vila de Emaús. Sua conversa gira em torno da crucificação de Jesus. Suas palavras saem vagarosas, arrastando-se em cadência com o passo quase fúnebre de seus pés.

— Mal posso acreditar. Ele se foi.

— O que vamos fazer agora?

— A culpa é de Pedro, ele não devia ter...

Neste exato momento, um estranho se aproxima por trás e diz:

— Desculpem-me, mas não pude deixar de ouvir a conversa de vocês. Sobre o que estão falando?

Eles param e se voltam. Outros viajantes desviam-se deles enquanto os três ficam parados em silêncio. Finalmente um deles pergunta:

— Onde você esteve nos últimos dias? Não ouviu falar de Jesus de Nazaré?

E prossegue, contando o que aconteceu (Lc 24.13-24).

Essa cena me fascina — dois discípulos sinceros contando como o último prego foi pregado no caixão de Israel. Deus, disfarçado, ouve pacientemente, com as mãos feridas enfiadas dentro das vestes. Ele deve ter sido tocado pela fidelidade daquela dupla. Contudo, também deve ter ficado um pouco desgostoso. Ele acabara de ir ao inferno e voltar para dar o céu à terra, e aqueles dois estavam preocupados com a situação política de Israel.

— Mas tínhamos esperança de que ele era aquele que iria trazer redenção a Israel.

Mas tínhamos esperança... com que frequência você ouve uma frase como essa?

"Esperávamos que o médico lhe desse alta."

"Eu esperava passar no exame."

"Tínhamos esperança de que a cirurgia fosse remover todo o tumor."

"Achava que o emprego era certo."

Palavras cinzentas de tanto desapontamento. O que queríamos não chegou. O que chegou, nós não queríamos. O resultado? Esperança despedaçada. Os fundamentos do nosso mundo estremecem.

Seguimos com dificuldade pela estrada de Emaús arrastando nossas sandálias no pó, pensando no que fizemos para merecer tamanho problema. "Que tipo de Deus me decepcionaria assim?"

Contudo, tão cheios de lágrimas estão nossos olhos e tão limitada é nossa perspectiva que Deus poderia ser o cara andando ao nosso lado que nem sequer notaríamos.

Sabe, o problema dos nossos dois amigos de coração pesado não era falta de fé, mas falta de visão. Seus pedidos estavam limitados àquilo que eles conseguiam imaginar — um reino terreno. Se Deus tivesse respondido à oração deles, se tivesse concedido o que eles esperavam, a Guerra dos Seis Dias teria começado dois mil anos antes, e Jesus teria passado os quarenta anos seguintes treinando os apóstolos para serem membros do gabinete. Você deve levar em conta que talvez o ato mais misericordioso de Deus seja sua recusa em responder a algumas de nossas orações.

Não somos muito diferentes daqueles viajantes preocupados, não é? Rolamos na lama da autocomiseração sob a sombra da própria cruz. Pedimos piedosamente pela vontade dele e, então, temos a audácia de fazer beicinho se as coisas não saírem do nosso jeito. Se nos lembrássemos do corpo celestial que nos espera, deixaríamos de reclamar por Deus não ter curado este nosso corpo terreno.

Nosso problema não é Deus não nos dar aquilo pelo que esperamos, mas sim o fato de que não sabemos qual é a coisa certa pela qual esperar.

Nosso problema não é Deus não nos dar aquilo pelo que esperamos, mas sim o fato de que não sabemos qual é a coisa certa pela qual esperar.

Esperança não é aquilo que você espera; é aquilo com que você nunca sonharia. É um conto espantoso e com um final do tipo "me belisque porque estou sonhando". É Abraão arrumando seus óculos bifocais para ver não o seu neto, mas seu filho. É Moisés em pé na terra prometida não com Arão e Miriam ao seu lado, mas com Elias e o Cristo transfigurado. É Zacarias deixado sem voz diante da visão de sua esposa Isabel, de cabelos grisalhos e grávida. E é uma dupla de peregrinos em viagem a Emaús que estende a mão para pegar um pão e então percebe que as mãos que o oferecem estão traspassadas.

A esperança não é um desejo realizado ou um favor especial concedido; não, é muito mais que isso. É uma absurda e imprevisível dependência de um Deus que adora nos surpreender e estar presente para ver nossa reação.

DEUS CHEGOU MAIS PERTO

Você e eu vivemos num mundo sujo. Lixo indesejado cai no nosso caminho com regularidade. Você não recebeu um saco de lixo de contratempos e dores de cabeça? Certamente que sim. Permita-me perguntar: o que você vai fazer com ele?

Você tem diversas opções. Pode escondê-lo. Pode pegar o saco de lixo e enfiá-lo dentro do casaco ou colocá-lo dentro do seu vestido e fingir que ele não está ali. Mas nós dois sabemos que você não vai enganar ninguém. Além disso, mais cedo ou mais tarde, ele começará a cheirar mal. Ou você pode disfarçá-lo. Pinte-o de verde, coloque no gramado da sua porta e diga a todo mundo que é uma árvore. Mais uma vez, ninguém será enganado e, em pouco tempo, ele começará a feder. Assim, o que você vai fazer? Se você seguir o exemplo de Cristo, aprenderá a ver os momentos difíceis de maneira diferente. Lembre-se: Deus o ama exatamente da maneira como você é, mas ele se recusa a deixá-lo dessa maneira. Ele quer que você tenha um coração cheio de esperança... Assim como Jesus.

Você não gostaria muito de ter um coração cheio de esperança? Não amaria ver o mundo através dos olhos de Jesus? Onde enxergamos oração sem resposta, Jesus viu uma oração respondida. Onde enxergamos a ausência de Deus, Jesus viu o plano de Deus. Observe especialmente Mateus 26.53: "Você acha que eu não posso pedir a meu Pai, e ele não colocaria imediatamente à minha disposição mais de doze legiões de anjos?". De todos os tesouros que Jesus viu no lixo, este é o mais significativo. Ele viu seu Pai. Ele viu a presença de seu

Pai no problema. Doze legiões de anjos estavam ao alcance de seus olhos.

"Tudo bem, Max, mas Jesus era Deus. Ele podia ver o invisível. Ele tinha olhos para o céu e uma visão para o sobrenatural. Não posso enxergar como ele."

Talvez ainda não, mas não subestime o poder de Deus. Ele pode mudar a maneira como você olha para a vida.

SIMPLESMENTE COMO JESUS

"Que o Deus da esperança os encha de toda alegria e paz, por sua confiança nele, para que vocês transbordem de esperança, pelo poder do Espírito Santo" (Rm 15.13).

A esperança do céu faz por sua vida aquilo que a luz do sol fez para o porão da casa da minha avó. Devo a ela meu gosto por compota de pêssego. Ela enlatava seus próprios pêssegos e os estocava num porão no subsolo perto de sua casa no oeste do Texas. Era um buraco fundo com degraus de madeira, paredes de compensado e cheiro de mofo. Quando pequeno, eu costuma entrar ali, fechar a porta e ver por quanto tempo aguentava ficar no escuro. Nem mesmo uma brecha de luz entrava naquele buraco. Eu me sentava em silêncio, ouvindo minha respiração e meu coração bater, até que não aguentasse mais e, então, subia as escadas correndo e abria a porta. A luz entrava como uma avalanche naquele porão. Que mudança! Momentos antes, eu não podia ver nada; de repente, podia ver tudo.

Assim como a luz derramada naquele porão, a esperança de Deus se derrama em nosso mundo. Sobre o doente, ele faz brilhar o raio da cura. Ao enlutado, ele dá a promessa do reencontro. Ao moribundo, ele acende a chama da ressurreição. Ao confuso, ele oferece a luz das Escrituras.

Deus dá esperança. Assim, e se alguém nasceu mais magro ou mais forte, mais claro ou mais escuro que você? Por que contar diplomas ou comparar currículos? O que importa se eles têm um lugar na cabeceira da mesa? Você tem um lugar à mesa de Deus. E ele está enchendo o seu cálice até transbordar...

Seu cálice transborda de alegria. Transborda de graça. Seu coração não deveria transbordar de gratidão?

> A esperança de Deus se derrama em nosso mundo. Sobre o doente, ele faz brilhar o raio da cura. Ao enlutado, ele dá a promessa do reencontro.

O coração do menino transbordou. Não no início, veja bem. Inicialmente, ele estava cheio de inveja. Mas, com o tempo, encheu-se de gratidão.

De acordo com a lenda, ele vivia com seu pai num vale ao pé de uma grande represa. Todos os dias o pai saía para trabalhar na montanha atrás da casa deles e voltava com um carrinho de mão cheio de terra.

— Coloque a terra nos sacos, filho — dizia o pai. — E empilhe os sacos na frente da casa.

Embora obedecesse, o garoto também reclamava. Estava cansado daquela terra. Estava farto dos sacos. Por que seu pai não lhe dava o que os outros pais davam aos filhos? Eles tinham brinquedos e jogos; ele tinha terra. Quando viu o que os outros tinham, ele ficou bravo com as pessoas. "Não é justo", disse ele a si mesmo.

E quando viu seu pai, reclamou:

— Eles têm diversão. Eu tenho terra.

O pai sorri, coloca o braço no ombro do menino e diz:

— Confie em mim, filho. Estou fazendo o que é melhor.

Mas era muito difícil para o menino confiar. Todos os dias o pai trazia aquela carga. Todos os dias o menino enchia os sacos.

— Faça a pilha mais alta que você puder — dizia o pai enquanto saía para buscar mais. E o menino foi colocando a terra nos sacos e fazendo pilhas altas. Tão altas que não podia ver o que havia do outro lado.

— Esforce-se mais, filho — disse o pai um dia. — Estamos ficando sem tempo.

Enquanto o pai falava, o menino olhou para o céu escuro. Olhou para as nuvens e virou-se para perguntar sobre elas, mas, quando o fez, um trovão rugiu e o céu se abriu. A chuva caiu tão forte que ele mal podia ver o pai através da água.

— Continue empilhando, filho!

E, enquanto trabalhava, o menino ouviu um forte estrondo.

A água do rio ultrapassou a represa e foi na direção da pequena vila. Num instante, a água varreu tudo o que estava em seu caminho, mas o dique de terra deu ao menino e ao pai o tempo de que precisavam.

— Depressa, filho, siga-me.

Eles correram para a encosta da montanha atrás da casa deles e entraram num túnel. Em questão de segundos saíram do outro lado e correram para a parte de cima da colina, até chegar numa cabana nova.

— Estaremos seguros aqui — disse o pai ao menino.

Somente então o filho percebeu o que o pai fizera. Ele havia escavado uma saída. Em vez de lhe dar o que ele queria, o pai deu a seu filho aquilo de que ele precisava. Deu a ele uma passagem segura e um lugar seguro.

Nosso Pai não nos deu a mesma coisa? Uma forte parede de graça para nos proteger? Uma saída certa para nos libertar? De quem podemos ter inveja? Quem tem mais do que nós temos? Em vez de querer o que os outros têm, não deveríamos nos perguntar se eles têm o que nós temos? Em vez de termos ciúmes deles, que tal termos preocupação por eles? Em nome dos céus, largue as armas e juntem-se. Há muito o que fazer.

Uma coisa é certa. Quando a tempestade final chegar e você estiver seguro na casa de seu Pai, você não lamentará aquilo que ele não lhe deu. Ficará surpreso com o que ele lhe deu.

ALIVIANDO A BAGAGEM

Jeremias estava deprimido, tão triste quanto uma girafa com torcicolo. Jerusalém estava cercada, seu país dominado. Seu mundo desabou como um castelo de areia num furacão. Ele culpou a Deus por seu horrível desastre emocional. Também culpou a Deus por sua indisposição física. "[Deus] fez que a minha pele e a minha carne envelhecessem e quebrou os meus ossos" (Lm 3.4).

Seu corpo doía. Seu coração estava doente. Sua fé, fraca. Ele percebeu quão rápido estava afundando e, assim, olhou para outro lugar.

> Todavia, lembro-me também do que pode me dar esperança: graças ao grande amor do SENHOR é que não somos consumidos, pois as suas misericórdias são inesgotáveis. Renovam-se cada manhã; grande é a sua fidelidade! Digo a mim mesmo: A minha porção é o SENHOR; portanto, nele porei a minha esperança.
>
> Lamentações 3.21-24

"Lembro-me também do que pode me dar esperança..." Deprimido, Jeremias alterou seus pensamentos, mudou de direção. Moveu seus olhos para longe de seu mundo tempestuoso e olhou para a maravilha de Deus. Recitou rapidamente um quinteto de promessas. (Posso imaginá-lo pensando nisso e usando os cinco dedos de sua mão para se lembrar.)

1. Graças ao grande amor do Senhor é que não somos consumidos.
2. As suas misericórdias são inesgotáveis.
3. Elas se renovam toda manhã.
4. Grande é a sua fidelidade.
5. A minha porção é o Senhor.

A tempestade não acabou, mas seu desânimo sim.

Sem medo de viver

Amém!
Tu és o meu refúgio Senhor.

Notas

[1] *Cartas para hoje*, paráfrase de J. B. PHILLIPS. São Paulo: Vida Nova, 1994. (N. do T.)

[2] Frederick Dale BRUNER, *The Churchbook: Matthew 13–28, vol. 2 of Matthew: A Commentary by Frederick Dale Bruner.* Dallas: Word Publishing, 1990, p. 534.

[3] Palestrante norte-americano, fundador e presidente da ONG Heartbeat. (N. do T.)

[4] Referência à série de TV norte-americana *Os Waltons*, produzida entre 1972 e 1981, e exibida no Brasil nas décadas de 1970 e 1980. (N. do T.)

[5] Jack CANFIELD e Mark HANSEN, *Chicken Soup for the Soul.* Deerfield Beach: Health Communications, 1993, p. 273-274.

[6] Orca-símbolo do parque de diversões Sea World, nos Estados Unidos. (N.do T.)

Índice das fontes

Todo o material deste livro foi originalmente publicado nos livros de Max Lucado apresentados a seguir. O autor detém o copyright das obras originais. Embora a maioria dos títulos esteja disponível em português, a seleção original dos textos desta obra foi traduzida exclusivamente para esta publicação.

Índice de temas

U

V

Conheça outras obras do autor

Max Lucado

- A árvore dentro da semente – *infantil*
- A história de Deus e a sua história – *infantil*
- Celebre o Natal com Jesus
- Coleção lições da vida – João – no prelo
- Coleção lições da vida – Lucas – no prelo
- Coleção lições da vida – Marcos – no prelo
- Coleção lições da vida – Mateus – no prelo
- Na jornada com Cristo
- Seu nome é Jesus
- Seu nome é amor
- Você é importante para mim – *infantil*

Compartilhe suas impressões de leitura escrevendo para:
opiniao-do-leitor@mundocristao.com.br
Acesse nosso *site*: <www.mundocristao.com.br>

Diagramação: Triall Composição Editorial Ltda
Revisão: Daila Fanny
Fonte: ACaslon Regular
Gráfica: RR Donnelley
Papel: Lux cream 70 g/m^2 (miolo)
Cartão 250 g/m^2 (capa)